Textos inéditos, escritos para o Litercultura Festival Literário

CA E
ERDADE

LITERCULTURA

ÉTICA E PÓS-VERDADE

CHRISTIAN **DUNKER**
CRISTOVÃO **TEZZA**
JULIÁN **FUKS**
MARCIA **TIBURI**
VLADIMIR **SAFATLE**

6ª impressão

Porto Alegre • São Paulo
2022

Copyright © 2017 Christian Dunker, Cristovão Tezza, Julián Fuks, Marcia Tiburi, Vladimir Safatle

CONSELHO EDITORIAL Eduardo Krause, Gustavo Faraon, Luísa Zardo, Rodrigo Rosp e Samla Borges
COORDENAÇÃO EDITORIAL Manoela Leão, Manuel da Costa Pinto
CAPA E PROJETO GRÁFICO Manoela Leão
REVISÃO Fernanda Lisbôa e Rodrigo Rosp

Dados Internacionais de Catalogação na Publicação (CIP)

E83
    Ética e pós-verdade / Christian Dunker ...[et.all.].
    — Porto Alegre : Dublinense, 2017.
    128 p. ; 21 cm.

ISBN: 978-85-8318-097-5

1. Ensaios Brasileiros. 2. Literatura — Ensaios. 3. Ensaios — Aspectos Filosóficos 4. Ensaios (Humanidades). I. Dunker, Christian.

CDD 808.4

Catalogação na fonte: Ginamara de Oliveira Lima (CRB 10/1204)

Todos os direitos desta edição
reservados à Editora Dublinense Ltda.

Av. Augusto Meyer, 163 sala 605
Auxiliadora • Porto Alegre • RS
contato@dublinense.com.br

SUMÁRIO

7 **Subjetividade em tempos de pós-verdade**
Christian Dunker

39 **A ética da ficção**
Cristovão Tezza

67 **A era da pós-ficção: notas sobre a insuficiência da fabulação no romance contemporâneo**
Julián Fuks

87 **Pós-verdade, pós-ética: uma reflexão sobre delírios, atos digitais e inveja**
Marcia Tiburi

115 **É racional parar de argumentar**
Vladimir Safatle

125 **Sobre os autores**

SUBJETIVIDADE EM TEMPOS DE PÓS-VERDADE

Christian Dunker

PÓS-MODERNISMO E PÓS-VERDADE

Nos anos 1990, Woody Allen dizia que o mundo podia ser horrível, mas ainda era o único lugar onde se poderia comer um bife decente. Nos anos 2000, Cyfer, o personagem de *Matrix* que decide voltar para o mundo da ilusão, declara: "a ignorância é uma bênção". Portanto, não deveríamos nos assustar quando o dicionário Oxford declara o termo "pós-verdade" a palavra do ano de 2016. Uma longa jornada filosófica e cultural foi necessária para que primeiro aposentássemos a noção de sujeito, depois nos apaixonássemos pelo Real, para finalmente chegar ao estado presente no qual a verdade é apenas mais uma participante do jogo, sem privilégios ou prerrogativas.

O que entender por verdade quando se lhe acrescenta este prefixo que a aposenta: a pós-verdade? A pergunta parece ser uma reedição da controvérsia dos anos 90 acerca da natureza do pós-modernismo. Naquela ocasião, tratava-se de entender principalmente um fenômeno estético, proeminente da arquitetura; ele se afigurava como uma desestabilização da noção de gênero e das prerrogativas canônicas do modernismo da Bauhaus e Mies Van der Rohe. Na literatura, ele se exprimiu basicamente pela combinação de certo niilismo com a valorização de narrativas que exprimiam posições de minorias como em Paul Auster ou David Foster Wallace. Interpretado por teóricos da literatura, o fenômeno parecia ser uma nova maneira de criticar a forma romance.

Lido por filósofos como Lyotard, ele descrevia um novo estilo argumentativo, marcado por narrativas comprimidas e por jogos de linguagem. Harvey e Anderson quiseram ver que tal acontecimento indicava uma nova organização do capitalismo, que precisava justificar em termos sociais a flexibilização de relações laborais, a redução dos vínculos formais e a deslocalização da produção. Guidens desdobrou o problema para a necessidade de identidades flexíveis, e Pierre Lévy trouxe a ideia de um novo tipo de organização cognitiva trazido pela disseminação da vida digital. Depois da morte do autor, delineada por Barthes nos anos 60, tínhamos nos anos 80 a morte do sujeito, como crítica das filosofias da consciência, da soberania ou da representação, que nos apresentavam, em nome deste falso universal, variações particulares de subjetividades específicas: branca, ocidental, masculina, acadêmica, economicamente privilegiada.

Defenderei aqui a ideia de que a pós-verdade, longe de ser um aprofundamento do programa cultural e político do pós-modernismo, é uma espécie de reação negativa a esta. A pós-verdade é o falso contrário necessário do pós-modernismo. Como se o politicamente correto, o relativismo cultural e a mistura estética tivessem gerado uma espécie de reação nos termos de uma demanda de real, de um retorno aos valores orgânicos e suas pequenas comunidades de consenso. Como nos romances policiais no qual é necessário existir um suspeito que não é o verdadeiro assassino. Há um lugar necessário para o falso assassino, que torna possível toda a investigação. Podemos pensar agora em um análogo, mas como se fosse um oposto que não é o verdadeiro oposto, mas que se torna necessário para descobrirmos o que verdadeiramente está sendo negado.

A pós-verdade seria então uma espécie de segunda onda do pós-modernismo. Sua consequência é ao mesmo tempo lógica e reveladora da verdade brutal e esquecida na qual ambos se apoiam. Assim como a pós-modernidade trouxe o debate relevante sobre, afinal, como deveríamos entender a modernidade e principalmente o *sujeito moderno*, penso que a pós-verdade inaugura uma reflexão prática e política sobre o que devemos entender por verdade e sobre a autoridade que lhe é suposta. O traço maior da subjetividade em tempos de pós-verdade será exatamente esta aptidão para a inversão sem transformação. Inversão que vai da posição "pós-moderna" para a posição "pós-verdadeira", sem que ambas entrem propriamente em conflito. Este ponto de torção do sujeito define as diferentes modalidades de subjetivação e de subjetividade, que são o efeito e o produto desse trabalho de oposição sem contradição.

MODERNIDADE

Um marco fundamental desta conversa intrincada e arqueológica nos leva para a aurora da modernidade. Lembremos que, naquele momento, Descartes firmou certo princípio de delimitação do que veio a se chamar subjetividade. Por mais vasto e variável que seja o emprego dessa expressão, ela ainda pode ser longinquamente associada com a descoberta, ainda no século 16, com Montaigne, Maquiavel e Shakespeare, de que existe uma substância diferente de si mesma. Uma substância que pensa algo, mas não age conforme o que pensa.

Uma substância capaz de sentir algo, mas dizer o oposto e que passa a entender a si mesma como dividida, entre uma superfície privada e outra pública. Ora, no interior dessa substância ontologicamente perigosa, acrescida de suspeita antropológica generalizada, decorrente da descoberta das novas almas ameríndias e africanas, Descartes reencontrou na razão um novo ponto de segurança capaz de reunir evidência material e certeza psicológica. Ele separou a relatividade cultural, histórica e epocal da subjetividade de seu ponto arquimediano, fixo e estável, ainda que efêmero: o sujeito. Contudo, a reinvenção da verdade, como subjetivação do pensamento, teve um preço. Nominalmente a exclusão de duas figuras da subjetividade que se apresentavam como cláusulas de exclusão para o pleno exercício da razão: o sonho e a loucura.

Foucault observou que uma segunda característica da modernidade, no que toca a noção de verdade, é que ela se torna indiferente e inerme em termos ético-políticos. O que ela ganha em termos de universalidade, de desprendimento em relação à autoridade ela perde quanto à sua potência transformativa, em termos éticos, políticos ou estéticos. Assim, quando a verdade se tornou acessível a todos, por meio do bom uso da razão na esfera pública, quando ela nos torna todos iguais diante da lei, quando ela caracteriza nossos sonhos de maioridade, autonomia e emancipação, ela ao mesmo tempo se torna inerme e neutra. Sua potência deixa de ser produtiva e passa a ser regulativa, meramente formal ou metodológica. Schiller talvez tenha sido o primeiro a perceber isso em suas *Cartas sobre a educação estética do homem*; e Habermas, em *O pensamento pós-metafísico*, o último a se dar conta de como a verdade era um conceito meramente perspectivo ou operacional.

Por volta de 2001, o pós-modernismo, como teoria da cultura, trilhava alianças suspeitas com concepções econômicas ou políticas. O ambiente acadêmico fervilhava em torno da herança das teorias feministas dos anos 70, agora revigoradas em *estudos de gênero* (*Gender Studies*), *estudos gays e lesbianos* e mais tarde pela *teoria queer*. Independente de seus temas e autores específicos, o movimento incluía uma espécie de retomada da presença da política nas ciências humanas. Mas as teorias de gêneros só podiam ser compreendidas em uma paisagem composta por outras teorias emergentes, como os *estudos culturais*, de Stuart Hall e Raymond Williams, que questionavam a hierarquização entre cultura erudita e popular, e a *teoria pós-colonial*, de Spivak, que criticava a presença de processos de racialização e subalternidade em sociedades complexas que aparentemente teriam deixado isso para trás. Essa paisagem incluía ainda o *pós-marxismo*, de Zizek, Laclau e Badiou, o *pós-estruturalismo*, de Derrida e Deleuze, e, fechando o trem, quase saindo do comboio, a *psicanálise* de inspiração crítica, de Juliet Mitchel e Julia Kristeva.

No Brasil, tais teorias estavam sub-representadas, com seus pioneiros ainda com pequena visibilidade e a maior parte dos autores de referência pouco traduzidos. Contudo, em dez anos as coisas se alteraram substancialmente e de uma forma inusitada. Hoje não há escola que se preze em São Paulo que não conte com um coletivo feminista. Os movimentos LGBTTs, as organizações baseadas em identidade de gênero, de etnia ou de raça tornaram-se uma espécie de substituto da antiga vinculação sindical, que privilegiava a identidade de classe. Não é que a classe desapareceu, mas agora ela se compõe com a paisagem indeterminada de outras dimensões para as quais clamamos reconhecimento. Perguntar pela verdade do conjunto ou da pertinência de cada um destes traços torna-se uma falsa questão.

Ganhando visibilidade e reconhecimento, nossos modos de pensar e praticar relações entre gêneros, classe, raça, etnia, padrão de consumo ou religião cultivam valores de diversidade e tolerância até o ponto em que estes se invertem em práticas de segregação e violência identitária. Quero crer que a grande novidade desse conjunto de movimentos está em pensar que nossas relações mais cotidianas e nossos hábitos mais simples replicam e atualizam relações de poder. Surgiu assim a versão nacional da aliança entre um neoliberalismo mitigado em matéria de economia e uma nova pauta de liberalização dos costumes.

Em nossas pequenas decisões linguísticas ou comportamentais, de consumo e de estilo, no campo do trabalho, do saber e do amor, há um jogo envolvendo o poder. A aliança bífida do pós-modernismo pedia por um substrato moral que pudesse reunir as escolhas políticas e econômicas com os progressos científicos e cognitivos.

Isso traz para cada aspecto do cotidiano a possibilidade de uma transformação destas relações, ou seja, um caminho real e acessível para que inventemos outros mundos e para que nos sintamos parte da diferença, para chegar à diferença real, a diferença que faz diferença nesse processo. Se nos anos 50 o trabalho e a nação definiam o teor dessa diferença e nos anos 70 o lugar da transformação migrou para a sexualidade e o desejo, os anos 2000 convidam a pensar uma encruzilhada, ou melhor, uma intersecção, entre as diferentes formas de minorização do outro e de si mesmo, bem como as políticas de reversão dessa minoridade. Para tanto, a profissão e o estudo, as formas de amar e desejar, as modalidades de governo e de família, sobretudo, o corpo e a cultura, devem ser pensados como determinados por opções construídas e não naturais. Nelas não há nada de essencial, compulsório ou coercitivo.

FIGURAS DA VERDADE

Não deixa de ser estranho, contudo, que a marcha de variações desse tema, seja pela teoria de Derrida sobre a desconstrução, seja pelas variações relativistas da filosofia da linguagem, seja pelo esgarçamento multiculturalista da teoria literária, tenha sido suspensa abruptamente diante do ataque às torres gêmeas de Nova Iorque em setembro de 2001. A partir de então a flutuação benévola da verdade passou a ser tolerada na pauta dos costumes, e sua separação com relação às políticas de Estado e às determinações econômicas foi resolvida "na prática" e de forma seletiva. O relativismo cultural da verdade foi subitamente invertido pelo real da guerra ao terror. A tolerância religiosa inverte-se na perseguição aos muçulmanos. A tolerância econômica com Grécia, Islândia ou Portugal inverte-se em intervenção extorsiva em torno de medidas de austeridade e ajuste.

Podemos datar aqui o nascimento da pós-verdade, ainda que seu batismo só viesse à tona em 2016. Em 2011 a verdade das armas químicas que justificaram o ataque ao Iraque mostrou-se uma ficção. O fato de que presidentes e agências de Estado pratiquem mentiras técnicas como essa, retóricas (como a "guerra cirúrgica"), jurídicas (como a corrupção dentro da lei), apenas replica a maquiagem de balanços (que estava por trás das bolhas imobiliárias de 2008) e o cinismo como discurso básico do espaço público e da vida laboral.

O batismo veio com o discurso vencedor em campanhas políticas que deram uma nova face conservadora ao mundo. As perdas geradas pelas práticas neoliberais foram invertidas em uma ruptura da aliança entre relativismo cultural e dogmatismo econômico. Doravante é preciso prescindir da verdade. Uma nova expressão cognitiva ascende com um novo tipo de irracionalismo que conseguiu recolocar na pauta temas como: o criacionismo contra o darwiniano, a relatividade da "hipótese" do aquecimento global, a suspeita sobre a indução e o autismo por vacinas e tantas outras teorias mais ou menos conspiratórias diluídas por um novo estado da conversa em escala global, facultado de modo inédito pelas redes sociais. Neste novo suporte, as crenças mais estranhas e regressivas adquiriram uma espécie de *backing vocal* garantido.

Por meio desta montagem, a versão contemporânea da pós-verdade retoma, de maneira modificada, vários aspectos pré-modernos da verdade, ou seja, uma verdade inflacionada de subjetividade, mas sem nenhum sujeito. Uma verdade que é moralmente potente, mas que não produz transformações éticas relevantes. Uma verdade que se confunde com os processos sociológicos de individualização, com as prerrogativas estéticas do gosto e com a força política das religiões.

Para os antigos, a verdade tinha três conotações. Ela era tanto a revelação grega (*alethéia*) de uma lembrança esquecida quanto a precisão latina do testemunho (*veritas*) e ainda a confiança judaico-cristã da promessa (*emunah*). Por isso a verdade tem três opostos diferentes: a ilusão, a falsidade e a mentira. A pós-verdade é algo distinto do mero *relativismo*, e sua dispersão de pontos de vista, todos igualmente válidos, ou do *pragmatismo*, com sua regra maior de que a eficácia e a eficiência impõem-se às nossas melhores representações do mundo. Ela também não é apenas a consagração do *cinismo* no poder, com sua moral provisória, capaz de gerenciar o pessimismo, no atacado da tragédia humana, em proveito de vantagens obtidas no varejo narcísico. A pós-verdade depende, mas não se resume a isso, porque ela acrescenta uma ruptura entre os três regimes de verdade e seus contrários. Ela ataca a estrutura de ficção da verdade. Este fio de ficção possui dois ramos de alimentação, que são precisamente as duas condições excluídas por Descartes no século 17 e retomadas por Freud no século 20: o sonho e a loucura.

Se temos que pensar a subjetividade como uma espécie de retorno da verdade negada na aurora da modernidade, se temos que pensá-la de novo como filha do desejo e irmã do gozo, seria preciso pensar sua dimensão temporal. Afinal a pós-verdade é antes de tudo uma verdade contextual, que não pode ser escrita, posta no bolso e reapresentada amanhã, como garantia de fidelidade, compromisso ou esperança gerada pela palavra. Contraste curioso para um sistema marcado pela impossibilidade de esquecer, incapacidade de dormir e pelo esquecimento do sexo. Contraste definido por condições materiais pelas quais nossa escrita jamais será apagada do mundo digital, nosso trabalho pode se desdobrar por jornadas infinitas ou ausentes e pelas relações que prescindem do sexo, agora desligado da narrativa reprodutiva.

Freud argumentava que a fantasia parte de um desejo presente que retoma traços mnêmicos do passado e se lança ao futuro como realizado. Talvez seja por isso que Lacan associava a fantasia com uma determinada ligação entre o real e a verdade. Para Lacan, a verdade possui estrutura de ficção. Ela é o que liga a *emunah*, como confiança na realização futura, trabalho de reapresentação da *alethéia* no presente, mas também certeza presente da palavra testemunhada como *veritas*, memória com legitimidade e exatidão.

É porque as três faces da verdade não se ligam senão por uma ficção que se pode contar um monte de mentiras dizendo só a verdade, mas também criar muitos fatos sem sentido algum e ainda fazer de conta que o que dizemos agora, neste contexto e segundo estas circunstâncias não tem nenhuma consequência para o momento vindouro.

A pós-verdade tem muitas implicações políticas, morais e institucionais. Ela afeta cotidianamente nossos laços amorosos e nossas formas de sofrimento, principalmente na medida em que estas dependem de descrições, nomeações e narrativas. Podemos descrever a subjetividade em tempos de pós-verdade como um conjunto de negações tanto da ligação entre as três faces da verdade como corrupção de sua potência ficcional, mas também como degradação da experiência da verdade do desejo que produz certa unidade entre *alethéia*, como *emunah* e como *veritas*.

EDUCAÇÃO POR RESULTADOS

Nossas crianças estão bem mais argumentativas, críticas e, no bom sentido, interessadas em razões do que as gerações anteriores. Elas não estão mais inteligentes que antes, apenas aprendemos dar valor à curiosidade que as caracteriza desde sempre. Afinal é para elas que nos esforçamos por justificar que o mundo e o futuro valem a pena. É por elas que nós escondemos nossa disposição agressiva a chegar logo nos "finalmentes". As crianças, me refiro às com menos de dez anos de idade, são ainda uma das poucas posições para as quais sustentamos uma espécie de autoridade espontânea e representativa. Ou seja, antes de se transformarem, com a nossa ajuda, em adolescentes que tudo sabem (porque atribuímos a eles o saber sobre a verdade de nossas próprias fantasias), as crianças precisam falar e nunca houve uma geração antes que escutou tanto as crianças quanto a nossa. Crianças pequenas sabem brincar, e a fala produtiva possui em grande medida a estrutura de uma brincadeira. Não porque seja inconsequente, aliás, a criança nunca é inconsequente em seu brincar. Para ela aquilo é o que há de mais sério.

Um equivalente disso entre adultos se poderia encontrar em certo tipo de literatura menor. Não aquela que está comprometida em exibir o ego arguto do autor, mas aquela que está comprometida com o mistério poético da palavra e do silêncio. Vejo um tanto desta atitude em alguns professores, aqueles que ainda não temem dizer seu nome. Boa parte dos que se engajam nesta tarefa em nossos dias tem um compromisso com a palavra que é de outra natureza. Não penso que esta atitude ética, que Lacan chamava de "ética do bem-dizer", seja coisa de profissionais ou de pessoas cultas. Há gente que teme ser essa uma disposição continuada a encontrar o que dizer, de dizê-lo melhor e de se transformar procurando a melhor forma de fazê-lo. É o que se pode esperar da psicanálise, mas também do que alguns autores da filosofia chamam de ética da amizade.

Do ponto de vista da criança, a verdade não é primeira. No começo há apenas saber e diferente maneira de saber. A verdade depende da descoberta de que há saberes falsos, porque enganadores, e de que, consequentemente, o outro pode mentir. Aqui estão três condições da emergência de ficções, ou seja, a narrativa em estrutura de *como se* (a descoberta de hipóteses sobre o futuro), a emergência do outro que é potencialmente enganador (a descoberta de que sua palavra nem sempre é fiável) e a realização de que nós mesmos podemos nos transformar em nossas opiniões, saberes e experiências (a descoberta de que nos enganamos).

Que o outro possa mentir é uma condição primitiva para que possamos criar experiências de intimidade, vergonha ou pudor. Que o outro possa ser outro é uma condição importante para que a autoridade inicial sobre o saber, formada no interior da família, possa ser transferida para outras instâncias cuidadoras, como a escola. Esta possibilidade de transferir a autoridade sobre o saber depende essencialmente desse "como se". Professores ou médicos são "como os pais", mas têm uma relação distinta com o saber, que agora se torna impessoal, anônimo e transferível em relação a quem o enuncia.

Podemos dizer então que a verdade depende desta separação entre o espaço privado da família e o espaço público da escola. Portanto, é na educação que a suspensão da verdade prenuncia um conjunto de efeitos ainda incalculáveis. Imaginemos, para reduzir o problema, o que significaria um professor que superou a problemática da escola sem partido, essa expressão brasileira da pós-verdade, porque ingressou em uma nova era de saberes pós-verdadeiros.

A gênese escolar da pós-verdade depende de uma tradução das tecnologias digitais como autoridade moral que não tolera barreiras, tudo se comunica com tudo conforme a vontade do cliente, por meio de esquemas holistas e integrativos para mostrar que, se permanecemos juntos, confortáveis e amados, tudo terminará bem. É mais importante saber quem somos do que o que podemos fazer em conjunto. A formação de atitudes antes chamadas de "críticas", baseada no cultivo produtivo da incerteza, na hipótese cruzada de que o outro pode estar a nos enganar, bem como nós mesmos podemos estar nos enganando, transforma-se no ambiente discursivo da pós-verdade na ideia de que "circunstâncias nas quais fatos objetivos têm menos influência em moldar a opinião pública do que apelos à emoção e a crenças pessoais".[1] A opinião pública compra qualquer coisa, inclusive conhecimento verdadeiro.

Questões controversas como neutralidade do conhecimento científico ou do ordenamento jurídico são sentidas como uma espécie de ameaça ao critério de confiança na verdade. Assuntos como desigualdade racial e distribuição de renda são demasiadamente humanos, consequentemente políticos. Disso não deveria decorrer que neste campo todas as opiniões são igualmente relativas, como se, apenas por dominar os meios e produzir imagem, o efeito de verdade viria por si mesmo.

A tolerância pós-moderna na expressão de valores combina-se assim com a necessidade de controlar suas consequências com o rigor de procedimentos burocráticos segregativos. Ou seja, se a performance for alcançada ao final do semestre, isso se presta a sancionar os meios pelos quais o efeito foi produzido. Convite ao doping legal ou ilegal. Não basta proclamar que precisamos de professores mais autênticos, fiéis aos seus ideais e autênticos em sua expressão e ao mesmo tempo aplicar sobre eles as mesmas regras de desempenho que nos induzem a uma relação produtivista com o saber. Surge assim uma espécie de avaliação permanente da retórica empregada, que induz e valoriza declarações impactantes e menosprezo por autorida-

---

[1] Disponível em: <https://www.nexojornal.com.br/expresso/2016/11/16/O-que-%C3%A9-%E2%80%98p%C3%B3s-verdade%E2%80%99-a-palavra-do-ano-segundo-a-Universidade-de-Oxford>.

des ou especialistas que possam desmenti-las. A pós-verdade requer uma vida em estrutura de show na qual a sala de aula é o ensaio do espetáculo.

A atitude estética, humorada e flexível, corrobora este cenário no qual é mais importante *quem* está falando, com seu carisma e estilo, do que argumentos, demonstrações ou provas de qualquer autoridade anônima que se apresenta como desinteressada. A eficácia dessa dimensão da pós-verdade depende da administração calculada do esquecimento. A confiança na última palavra e o consenso do momento são o que importa. Divergentes merecem no máximo o tratamento de "inclusão" e no mínimo o desprezo silencioso. Como se nenhuma conversa que não possa ser resolvida em menos de quinze minutos valha a pena.

Outra fonte fundamental da pós-verdade é a prática do trabalho em grupo. A valorização de habilidades afetivas e de talentos relacionais torna óbvio que os antigos saberes convergentes devem se articular com nossas modalidades de inteligência e relação. No entanto, isso permite que alunos aprendam que, em nome de ideais nobres como colaboração e solidariedade, podemos criar uma indústria da injustiça e da desresponsabilização. A troca de favores espúrios, o plágio e as técnicas de manipulação da concorrência interna tornam-se habilidades tão úteis e preparatórias para a vida corporativa.

A última característica da educação para a pós-verdade é que esta privilegia a forma ao conteúdo, o método e as técnicas acima de qualquer substância. Apostilas e livros didáticos, Wikipédia e youtubers tornam o trabalho cognitivo uma coleta de dados ou uma compilação de administradores de saberes.

NARRATIVAS DA PÓS-VERDADE

A pós-verdade justapõe dois valores antagônicos: a criatividade expressiva de cada um e a rígida conformidade a regras de obediência e adaptação. Como colocar em prática a imaginação criadora humana, promovendo a convivialidade e as novas formas de coletividade e solidariedade, preservando as pluralidades culturais, a liberdade de pensamento e as singularidades individuais?

Formas de vida definem-se principalmente pelo desejo, trabalho e linguagem. O primeiro desafio para o século é como empregar a transparência dos saberes disponíveis em escala universal para construir uma nova experiência comum. "Viver junto" não é apenas dividir espaços particulares e ser constrangido por leis universais, mas pertencer a um tempo, que tem uma história e é capaz de inventar um futuro imprevisível. Isso começa pela crítica da moral da sobrevivência e pela suspensão dos estados de segregação. Confinados ao presente e ao seu projeto defensivo de uma vida em estado de ameaça e exceção, a tecnologia torna-se inócua, a disponibilidade do saber é impotente, e a pluralidade cultural torna-se improdutiva. Nosso grande desafio é inventar novas formas de possuir e de pertencer. Nenhum plano de sustentabilidade ou de ocupação, nenhum projeto de vida ou de política podem criar novas experiências transformativas se não traduzirem a vivência de estar junto, em uma experiência real de compartilhamento. Conviver não é suportar ou tolerar o outro, mas pertencer ao mesmo futuro que ele. Viver junto é obrigatório. Ter uma vida em comum, conviver, é contingente. Assim também a singularidade de cada um depende das condições que nos damos para fazer com que trabalho, linguagem e desejo resolvam-se em soluções únicas, mas que sejam também para todos.

Podemos deduzir três formas de estar juntos, a partir da tríade que apresentamos sobre a verdade. A verdade no presente (*alethéia*) nos convida a uma linguagem ou o pensamento que nos unem em torno de uma experiência comum. A verdade do passado (*veritas*), que requer testemunho e exatidão, depende da individualização por responsabilidade em torno de uma lei comum. Finalmente, a verdade no futuro (*emunah*) e a confiança diante do imponderável da imaginação criam um horizonte comum.

Há narrativas que podemos associar com esses modos de estruturação da verdade, conforme o tipo de ficção que elas nos propõem. Por exemplo, a narrativa da viagem organiza a verdade como efeito de um trajeto investigativo. Seu caso moderno mais conhecido poderia ser Júlio Verne (1861), em sua *Viagem ao redor da lua* que, curiosamente, retoma a mais antiga narrativa de ficção científica conhecida, *A história verdadeira*, do escritor latino Luciano (II d.C.). Ela aparece também no primeiro filme de ficção científica feito por Georges Méliès, *Viagem à lua* (1902), uma versão pós-moderna dessa aventura pode ser encontrada em *Star Trek* (1966), com sua tripulação multiculturalista com roteiro e produção de Gene Roddenberry. A viagem entre mundos, no qual um é real, mas pobre e trágico, e o outro é ilusório, mas organizado, aparecerá na trilogia *Matrix* (1999-2003) dos irmãos Wachowski.

A segunda estrutura de ficção concernente à verdade está baseada na cidade. Seu ancestral moderno é naturalmente *Metrópolis* (1927), de Fritz Lang, onde o futuro é retratado como morada da ordem. Ele encontra sua continuidade em *Alphaville* (1966), de Goddard, onde o futuro é para poucos e só é possível ficar junto no amor. Christopher Nolan, com *A origem*

(2010), anuncia um mundo que se dobra dentro de um pião, diante de um ladrão de sonhos e também está baseado na tese de que "o mundo à sua volta pode não ser real". Ora, a cidade é a matriz da verdade como história compartilhada, da qual se pode dar testemunho de convivência comum. A pós-verdade substitui essa experiência pelos condomínios e compartimentalizações étnicas, e parece perceber que, com a vida digital, alguém pode sentir que está mais próximo simbolicamente do Oriente Médio do que de seu vizinho da frente.

A terceira estrutura de ficção toma como referência o corpo. Seu marco fundamental é *Frankenstein* (1818), de Mary Shelley. O mesmo tema retornará em *A noite dos mortos-vivos* (1968), de George Romero, protótipo dos filmes de zumbis abordando a doença da solidão. No terceiro tempo desta narrativa cuja verdade se articula com a *emunah*, encontramos *Blade Runner* (1982), de Ridley Scott, e sua inquietante pergunta em torno de quanto tempo temos ainda. Sobre esta base, a pós-verdade criará as ilusões de um corpo eterno, indestrutível, cuja matéria é indefinidamente elástica e moldável. Ela poderá desdenhar da catástrofe ecológica ou das previsões orçamentárias para o futuro, presa que está na segmentação entre um presente eterno e um futuro imprevisível.

Conhecemos um estado no qual vivemos em eterno presente. Ele foi descrito em 1906, por Alois Alzheimer, como uma doença neurológica na qual o passado próximo vai sendo esquecido, depois o distante, e assim também o futuro. A experiência de desapossamento e de desapropriação do passado, vivida por Auguste Deter, mostra também uma espécie de paradigma de subjetividade, no qual há simultaneamente uma diminuição do passado e do futuro e uma expansão do presente.

Ao final nos resta nosso bem mais precioso, o fulcro íntimo da subjetividade pós-moderna, a mercadoria mais próxima de nós mesmos: outro corpo. Quem acompanhou pessoas sofrendo desta maneira poderá entender como a perda da possibilidade da verdade não é apenas um deficit argumentativo ou moral, é uma experiência de retorno ao estado no qual há apenas saberes inertes e inconsequentes entre si. Desconexos, aproximáveis, contíguos, mas sem a possibilidade de ordená-los em uma história coerente. O sofrimento descrito por Alzheimer corresponde a uma espécie de exagero de nossa individualização. Neste caso perdemos a possibilidade compartilhar, de produzir e de lembrar o percurso de verdade no interior do qual se dão nossas relações. A subjetividade assim constituída sofre da impossibilidade de narrativizar seu próprio sofrimento.

PÓS-VERDADE COMO DISCURSO

Do ponto de vista das relações intersubjetivas, do discurso e da lógica do reconhecimento, a principal característica da pós-verdade é que ela requer uma recusa do outro ou ao menos uma cultura da indiferença que, quando se vê ameaçada, reage com ódio ou violência. É cada vez mais difícil escutar o outro, assumir a sua perspectiva, refletir, reposicionar-se e fazer convergir diferenças. Isso se aplica tanto ao espaço público, com suas novas e inesperadas conformações digitais, quanto ao espaço privado das relações amorosas ou amistosas, passando pelas relações laborais e institucionalizadas. Uma descrição resumida dessa situação costuma salientar que nossa vida está cada vez mais *acelerada, icônica* e *funcionalizada*. Nossa experiência de cidade é cada vez mais acelerada. Nossa vivência da viagem é cada vez mais icônica e exibicionista. E nossa experiência do corpo é objeto de uma funcionalização pela pós-verdade.

A *aceleração* é um fenômeno da cultura da performance generalizada, derivada do universo da produção e da soberania do resultado. Pós-verdadeiros são os homens e as mulheres para os quais o efeito prático se impõe aos meios, o que equivocadamente se confunde com meritocracia. Vivemos hoje com um acervo de instrumentos e meios que excedem o limite de nossas faculdades mentais "em estado natural". Isso afeta brutalmente a situação de fala, que de certa forma se torna um pouco anacrônica. Não é por acaso que novas síndromes envolvendo mutismo seletivo (como o do personagem Rajesh Koothrappali, do seriado *The big bang theory*) e mutismo generalizado em crianças sejam cada vez mais frequentes. Neste ponto não há exatamente uma novidade, mas o exagero e o aprofundamento deste princípio que define a modernidade desde Baudelaire e Benjamin. O resultado é que a narrativa da cidade, como experiência comum de partilha, coletiva ou individual, simbólica e imaginária, é invertida em uma espécie de administração por movimentação contínua.

O segundo traço da pós-verdade é que sua retórica é *icônica*. Cada vez mais lemos a mensagem que o outro nos envia em pacotes de informação, compostos por imagens e textos, que se apresentam como um "todo de uma vez". Isso degrada a narrativa da viagem a um percurso sem memória. A resposta antecipada para uma determinada imagem coordena nossos códigos de comunicação e de produção de desejo, de tal forma que é preciso rapidamente acolher ou descartar, inibir ou estimular o progresso da comunicação com o outro. É o que alguns teóricos da linguagem chamam de cultura do *connect* e *cut*, na qual há igual facilidade de acesso e de desligamento no contato com o outro. Isso gera um estado de falas interrompidas, demandas cruzadas, palavras sem destinatário, entonações indeterminadas. É preciso rapidamente ler a pessoa por seu estilo de aparência, por objetos de afirmação narcísica ou por seus pequenos gestos estilizados que nos oferecem, "de uma vez", a essência de sua mensagem. O semblante, ou seja, a gramática de imagens que define algo ou alguém exige que sejamos rapidamente "enquadrados" em categorias disponíveis para que a interação não enfrente as ambiguidades que a experiência da fala traz consigo.

O terceiro traço discursivo da pós-verdade é que ela está muito ligada a certos esquemas de ação ou protocolos de funcionamento. É preciso saber, e de preferência de modo não ambíguo e rápido, o que o Outro quer de nós em determinada situação. É o que se poderia chamar de vida em formato de demanda. Onde há um encontro é preciso decidir rápida e iconicamente o que os envolvidos querem, e a negociação tende a ser curta, porque variáveis de contexto se impõem dramaticamente. Se você está no site de restaurantes, já decidiu que quer comprar comida, se está no site de pornografia, não tem amor, e assim por diante. Com isso somos compelidos ao que alguns psicanalistas chamam de "monólogos de gozo", ou seja, o sujeito está falando sozinho, sem se dar conta. Ele "pratica sua fantasia" de forma generalizada e a céu aberto, como se ele não se preocupasse muito em "ser entendido" ou "se fazer compreender". Na medida em que o outro lhe aparece como alguém relativamente impessoal e indiferente, geralmente reunido em alguma categoria-tipo simplificada, ele pode "usá-lo" para repetir o que não consegue impedir-se de dizer. Como nos diálogos "surrados" entre casais nos quais um "espreme" o outro, empurrando-o a "cuspir" aquela mesma desagradável e corrosiva mensagem devastadora, tantas vezes repetida na história dos dois. Esse traço se apossa da narrativa do corpo tornando nossas experiências com o outro dependentes de estados de ânimo, de manifestações de conforto ou de desconforto, de tensão ou relaxamento, sem que tais estados de ânimo sejam de fatos integrados em uma unidade, em uma experiência de sofrimento.

Comparemos estas três características, representadas pela demanda funcional, icônica e acelerada com a experiência da fala. Lembremos que o psicanalista Jacques Lacan resumia o tratamento psicanalítico simplesmente a esta passagem da *fala vazia* para a *fala plena*. Lembremos que, desde sempre, falar colocando-se realmente no que a gente diz e escutar os efeitos do que a gente diz, sem que suas consequências fiquem esquecidas por trás de tantos ditos, repetidos, pré-fabricados e vazios, é de fato uma experiência muito difícil e rara. Quando isso acontece, nossa ligação com o outro se modifica, ele não será mais indiferente nem apenas um meio para que nossa demanda funcional seja atendida. Ele passa a entrar em nosso circuito de simpatias e preferências, não só em nosso sistema de interesses, simplesmente porque sentimos que ele ou ela nos escuta *de verdade*. A demanda funcional mata esse aspecto da fala.

Há uma relação muito íntima entre falar com o outro e certo tipo de experiência com o tempo. Quando estamos em um "bate-papo", dizemos que estamos "jogando conversa fora", justamente porque nossa experiência do tempo muda. Não queremos chegar ao final das coisas nem concluir teses, apenas estar junto, com o outro, descobrindo e criando coisas juntos. Falar traz um tempo diferente do escrever. Temos que esperar o outro terminar uma frase. No interior da frase, uma palavra tem que vir depois da outra até o fim. Temos que esperar. Há uma negociação para identificar o instante de troca de turno (momento no qual passamos a palavra para o outro). É preciso escolher a "hora certa" para contar uma piada, fazer um adendo ou uma interpolação. Quando estamos falando com o outro, precisamos medir a perda ou ganho de atenção do interlocutor, avaliando se estamos indo muito rápido ou demasiadamente lento em nossas ideias.

A experiência da fala comum exige ainda examinar durante a própria conversa a compatibilidade e pertinência do conteúdo, verificar a congruência deste com sua forma expressiva, reunir a fala com a dimensão não verbal ou corporal da conversa e assim por diante. Comparando com o temo icônico do "tudo de uma vez" não conseguimos "falar tudo de uma vez", temos que ir palavra a palavra. Quando temos um texto, um e-mail ou um torpedo, ou mesmo uma carta, podemos decidir por onde começar, pelo fim, pelo meio ou pelo começo. Podemos escolher se queremos basear nossa resposta apenas percebendo o remetente, o título ou o assunto. Pequenas dicas podem decidir todo o futuro do "contato", permitindo ver o conjunto e decidir sua "interessância" (como os tags automáticos usados pelos antispam). E-mails longos são lidos só em seus termos decisivos, e quando a gente quer, onde a gente quiser e se a gente quiser. Na fala, ao contrário, estamos "amarrados" na situação, presos em um jogo de "risco" no qual as coisas devem ser decididas em "tempo real". A aceleração da experiência ataca esse aspecto da palavra, criando um tempo "irreal" em meio a uma degradação da experiência de fala apenas a uma peça de comunicação.

Passemos ao caráter icônico de nossa surdez, lembrando que o ícone é uma imagem para ser vista ou percebida imediatamente. Um filme de Bergman, por exemplo, tornou-se impossível para nossa época, assim como certas obras sinfônicas. Isso ocorre porque, nesse tipo de experiência estética, o silêncio, o vazio e a indeterminação de sentido são cruciais. O intervalo faz parte da matéria-prima da mensagem. Muito se falou sobre o mito de narciso em psicanálise, no qual o sujeito apaixona-se por sua própria imagem. E de fato nos anos 70 descreveu-se um tipo de comunicação narcísica ou imaginária caracterizada pela manipulação do interlocutor segundo certas regras: responda uma intimidade com outra intimidade, elogie dando espaço para que o outro retribua, mostre-se mais a si mesmo do que o conteúdo do que você está falando, entenda que a atitude expressa pelo que você diz é o que vai decidir a conversa, aliás o diálogo terá uma estrutura muito simples: quem fará quem invejar quem. Os sintomas desse tipo de posição subjetiva também foram bem descritos: sentimento de esvaziamento, solidão e inautenticidade. Ocorre, e isso é bem menos mencionado, que, no mito de Ovídio, Narciso tem uma amante, chamada Eco. A ninfa Eco declara seu amor a Narciso que não pode escutar, pois tudo o que ele pode escutar é o eco de suas próprias palavras. Podemos dizer que a conversação narcísica dos anos 80 evoluiu para a conversação ecolálica dos anos 2000 e para a pós-verdade dos anos 2010.

O HUMOR PÓS-VERDADEIRO

A pós-verdade exige uma alteração generalizada do humor, sim, com a emergência de dois afetos fundamentais: o ódio e a vergonha. O ódio é conhecido como um afeto muito importante na economia de nossa separação com relação ao outro. Ele é uma das oposições possíveis do amor, ao lado da alternância entre amar e ser amado e entre amor e indiferença. O que está em jogo no ódio é o conteúdo invertido do amor. Nesta nova onda de ódio generalizado, ódio informe, ódio sem causa, é que o ódio perdeu sua eficácia separadora. São pessoas xingando operadoras de telefonia, atendentes de telemarketing, vociferando contra carros que andam devagar, chutando computadores ou vendedoras morosas ou caixas de banco indefesos. São ataques a pessoas por sua cor, credo ou orientação política, que no fundo produzem falsas separações, porque estão baseados em falsas ligações. Ou seja, é um ódio que, em vez de marcar um afastamento e garantir que queremos mesmo "nos livrar" daquela pessoa, funciona como um apelo: "pelo amor de Deus, alguém note que eu estou aqui, sofrendo no deserto!". É um ódio baseado nesta legenda de que ninguém nos escuta, ninguém está interessado em nossas razões, ninguém "quer saber". E, assim como sentimos que o outro nada quer saber de nós, nós nos pomos a "nada saber do outro", mas nós o fazemos "ostensivamente", ou seja, de modo "pirotécnico", meio exagerado, para todo mundo ver e perceber nosso ataque de cólera. Naquele filme *Um dia de fúria*, no qual Michael Douglas, preso em um congestionamento, sai distribuindo pancadaria e destruindo tudo o que vê pela frente, ele faz tudo isso tomado por uma espécie de fria indiferença tipicamente pós-moderna.

O que temos hoje é quase o contrário disso. Somos matadores pirotécnicos de zumbis, que estes sim são percebidos como indiferentes, autômatos e sem alma. Este é o tipo de ódio que se dissemina por projeção, ou seja, no sistema de surdez ao outro e de eco ao próprio sentimento de raiva contra a própria irrelevância. Chegamos a uma cultura da impossibilidade de escutar o outro por uma longa estrada que começou com nosso horror à solidão, passou pelo cansaço com nossa própria capacidade de contar e inventar histórias, chegando à criação de formas artificiais de "companhia" com a vida digital e finalmente com a "contratualização" da vida cotidiana.

O sentimento social que alterna o desamparo e a solidão com o medo pela guerra de todos contra todos cria um tipo de laço que não é mais baseado no risco da palavra, mas na garantia de proteção por identificação. Para criar algum sentimento de pertencimento, é preciso participar de um grupo codificado, e para isso é preciso responder de forma homogênea. Porém, os grupos horizontais, definidos pela partilha de um traço comum, rapidamente foram substituídos por grupos de guerra, muito mais fáceis de constituir, baseados no ódio contra um inimigo comum. Um fato importante na nova cultura da indiferença e do ódio é que nossas respostas não são exatamente concentradas no que o outro diz, mas no ambiente, no contexto, no que se ajusta bem à paisagem. É o que Lacan chamava de imaginário, esta inclinação a fechar o sentido cedo demais, a compreender o outro rápido demais, a nos alienarmos em sua imagem e assim nos fecharmos para sua palavra.

A CORROSÃO DO DIÁLOGO

Não só porque as pessoas passam muito tempo em interações digitais que elas aprendem novos modos de estar com o outro, para o bem e para o mal. Antes, quando alguém tinha uma crença bizarra ou fora de esquadro, sentia-se acuada e desenvolvia formas de se conter; agora ela encontra "parceiros" para tudo na internet, inclusive para o pior. E em grupo a gente fica valente. Em grupo na internet, então, parece que o Maracanã está nos aplaudindo, quando na verdade são quatro ou cinco simpatizantes. A liberação de censura depende essencialmente disso. Pensemos nas piadas ofensivas, contra um gênero ou um povo, quando é que elas acontecem? Para Freud isso acontece quando temos certo tipo de "paróquia" que no fundo já pensa tudo aquilo individualmente, mas que quando se junta é levado a suspender a censura. E dali a pouco vão se juntar apenas para isso: suspender a censura. É neste ponto que os objetos ou substâncias que podem ajudar nisso começam a substituir as palavras que faziam a mediação de aceitação e a ultrapassagem da censura. De certa maneira esta virou nossa forma oficial de diversão: suspender a censura. Quanto mais disso melhor, até o ponto em que, em vez de falar e escutar, o ato de cruzar a censura resume o encontro. E aí entra esta ideia de que em grupo quem fala mais "alto" (no sentido de mais escrachado e chulo) e mais "baixo" (no sentido de desleal e intimidador) leva. Isso cria uma população de pessoas que só pode falar para emitir certezas e consequentemente a guerra aberta de opiniões. Ora, como a gramática que liga as pessoas é esta da esquizoparanoia (dividir para perseguir e perseguir para dividir), a solução prevista é o choque de massas vocais, que não estão dispostas à escuta, mas à dominação pelo eco.

Essa moral identifica grupo, classe e massa para engendrar um tipo de relação duplamente indiferente. Para os de dentro, eu não preciso escutar, porque sei o que eles vão dizer, e, para os de fora, escutar é desnecessário, porque, afinal, eu já sei quem eles são. É importante lembrar que o narcisismo em si não é uma patologia. Sem o narcisismo seria impossível compartilhar socialmente nossos desejos e ideais. O narcisismo permite, por exemplo, que eu me reflita no outro, que eu me coloque no lugar dele, que eu o inveje porque ele tem algo que eu não tenho, que eu cobice ser o que ele é. O problema começa quando temos uma patologia do narcisismo, que justamente me impede de exercer esta atitude reflexiva com o outro, porque, ao assumir o ponto de vista do outro, eu sinto que minha própria identidade está ameaçada. Ocorre que, para funcionar e ser eficaz, o narcisismo precisa da palavra, da palavra dita e escutada. Da palavra pessoal e insubstituível do outro, a partir da qual podemos nos reconhecer em uma instância terceira que nos compreende e define: a lei, a linguagem, a razão, ou seja lá que nome encontremos para isso que torna possível a experiência de compartilhamento e de pertencimento.

Há exemplos muito menos espetaculares e muito mais corrosivos do declínio da escuta e da fala. São os casais, casados há muito tempo, que podemos reconhecer nos restaurantes, porque eles não trocam uma palavra entre si ao longo de todo jantar. São os adolescentes que só conseguem falar do que bebem ou consomem. São os amantes que não encontram palavras nem mesmo para designar o abismo de falta de intimidade no qual vivem. São os médicos que não escutam mais seus pacientes, oprimidos que estão por receitas, exames e fichas que têm que preencher. São os professores que temem perder sua autoridade empenhando sua palavra além do roteiro para o qual são pagos. São as mulheres que vivem romances épicos, dos quais seus amantes jamais terão a mais pálida ideia. São os homens que temem colocar palavras como "eu te amo" ou "case-se comigo" no temor de que isso os comprometerá para sempre diante do tribunal imaginário da relação de compromisso. São os vizinhos que jamais se metem na briga de marido e mulher, mesmo testemunhando sua devastação. Sãos os que, de um lado, sofrem cansados e em silêncio imposto pelo temor de invadir a vida alheia e, de outro lado, os que desejam ardentemente ser invadidos por algo que os tire da miséria ordinária de suas neuroses na qual vivem, mas que, quando encontram esta palavra estrangeira, só sabem excluí-la como sinal de inadequação.

A PÓS-VERDADE COGNITIVA

Alguns consideram que o discurso da pós-verdade corresponde a uma suspensão completa da referência a fatos e verificações objetivas, substituídas por opiniões tornadas verossímeis apenas à base de repetições, sem confirmação de fontes. Penso que o fenômeno é mais complexo que isso, pois ele envolve uma combinação calculada de observações corretas, interpretações plausíveis e fontes confiáveis em uma mistura que é, no conjunto, absolutamente falsa e interesseira. Não se trata de pedir ao interlocutor que acredite em premissas extraordinárias ou contraintuitivas, mas de explorar preconceitos que o destinatário cultiva e que, gradualmente, nos levam a confirmar conclusões tendenciosas. Por exemplo, tendemos a achar que uma coisa é a ciência, com sua autoridade neutra e imparcial, e outra coisa é o que nós fazemos com a ciência, disputando ideológica ou politicamente suas implicações ou traduzindo suas descobertas em aplicações tecnológicas. Isso nos leva, por exemplo, à ideia errônea de que a ciência se compõe de ideias claras e consensualmente estabelecidas e não de controvérsias e polêmicas que se transformam com o tempo.

A expressão nacional deste tipo de pós-verdade está ligada à emergência de um novo irracionalismo brasileiro – com sua disposição predatória contra professores, estudantes, artistas, aposentados e demais "parasitas" que não sabem o "valor do trabalho" e que não aceitam as "verdades óbvias" – presume uma geografia simples e bem dividida entre ciência e religião, ordem e baderna, fatos e opiniões. A "pós-verdade" não é, portanto, o regime das opiniões desenfreadas e do relativismo niilista, tal como se anunciava no pós-modernismo liberal. Sua estrutura cognitiva, propriamente regressiva, depende do mito da unidade da ciência, da força de sua autoridade normativa, justamente para que ela possa se aliar com as piores formas de metafísica. Por isso, Lacan dizia que, quando a ciência se aliar com a religião, aí sim, encontraremos o pior.

Conclusão: onde há polêmica e controvérsia de opiniões é porque estamos no campo da ideologia e da metafísica. Para a pós-verdade, a ciência silencia e a ideologia faz falar. Ali onde o multiculturalismo valorizava a polifonia de vozes e a diversidade de acentos, a pós-verdade se eleva como trovão da ordem. Nada mais equivocado para qualquer um que possua alguma noção de teoria do conhecimento ou epistemologia. Disso não decorre, obviamente, que, lá onde há polêmica e incerteza, esteja apenas ciência.

A pós-verdade transfere a autoridade da ciência ou do jornalismo sério para a produção e as opiniões criando certos efeitos. A dificuldade em abordar o problema da ciência em toda a sua complexidade exige a cobertura de uma área muito extensa com preceitos simples e abrangentes. Aliás, nada mais tentador do que pular os dados técnicos, os detalhes e as incertezas de um problema real com uma boa opinião de conjunto, ainda mais se ela for sancionada pela "razão universal", que limpa o terreno e nos dispensa de considerar certos ângulos adicionais e excessivos na matéria. Assim vamos comprando a ideia de que existem coisas científicas e coisas "opinativas" ou digamos "políticas". Quem se interessar por tais coisas estará, obviamente, desfavorecido e desautorizado na discussão, em acordo com um diagnóstico, ascendente no Brasil, de que nós padecemos de um excesso de ciências humanas, que explica nosso pouco desenvolvimento nas ciências verdadeiras.

Expressões como "pseudociência" ou "pseudointelectual" são recorrentes entre autores que se consagram à pós-verdade, justamente porque isso guarnece o autor na posição de quem pratica a denúncia. A pós-verdade explora uma característica muito curiosa da internet que é sua relativa flutuação de autoridade, o que, considerado por outro ângulo, é um de seus aspectos mais democráticos.

Fica claro que a pós-verdade não pode ser pensada apenas como expressão e desdobramento de uma cultura pós-moderna. Ela inverte as narrativas da cidade, da viagem e do corpo em uma disciplina personalista da vontade. Ela parasita a educação com valores regressivos ligados à família. Ela retorna à figura arcaica do pai-chefe administrador eficiente como forma de desviar-se da política. Em todos os casos, temos uma inversão sem contradição e, portanto, uma subjetividade que pensa com dificuldade sua própria temporalidade, interpretada como variações de humor ou sendo seu próprio processo de transmissão educativa percebido como manipulação e apossamento.

A pós-modernidade é a condição ideológica a partir da qual a pós-verdade pode emergir como uma espécie de reação regressiva. Ela se aproveita de uma percepção social de que há um excesso de indefinições contido em termos como: politicamente correto, relativismo, multiculturalismo, igualitarismo, coletivismo, ecologismo e secularismo. Contra isso será preciso voltar a um estado personalista da verdade, resgatar suas raízes na família, retomando o tempo em que a verdade era definida pela identidade do autor que a enuncia. Ela não é mais a expressão da aliança entre neoliberalismo econômico de direita e pauta comportamental progressista de esquerda.

A ÉTICA DA FICÇÃO
Cristovão Tezza

1

Ao se falar de ficção, por onde se começa? Talvez do princípio mesmo da escrita, o seu primeiro gesto, a passagem da viva oralidade à sua inscrição física, sua imitação representada, a anotação tateante em busca de um valor fixo (imagine-se a primeira moeda), até a dignificação do que se deseja perene, os textos sagrados. O real, aquilo que se vive sem pausa, paralisado no tempo e no espaço. Escrever é capturar, conquistar e, enfim, controlar, figurado, o mundo indócil.

A partir da primeira linha e letra, um universo paralelo, um mapa, um duplo, começa a se construir, de modo que, sobre a fugacidade do instante presente e as breves sombras da memória pessoal – afinal, as únicas coisas realmente concretas com que contamos na vida –, uma gigantesca, monstruosa, interminável cosmologia escrita nos oprime. "Oprimir" talvez seja uma palavra interessada demais; nos envolve, quem sabe, mas isso também é insuficiente, demasiado neutro, apenas uma neblina; ou nos conduz. A condução também não serve, porque lutamos contra as palavras mal rompe a manhã; nós resistimos teimosamente a elas. Apesar disso, é como se as armas fossem sempre as da escrita, não as nossas; a escrita já *está aí*, como um duplo paródico, ridente, do *Dasein* filosófico – um duplo do nosso estar no mundo. É o Deus do mundo da cultura escrita, mesmo quando se finge humilde e o último dos seres. A escrita é inescapável, tentacular, insidiosa, onívora, onipresente. Uma vez nela, rompido o silêncio, não há mais saída.

Fico matutando sobre o que deverá ser a estranha, absurda e frágil liberdade dos que não conhecem a escrita e o mundo criado pela escrita, o bom selvagem, ou simples e neutramente o *selvagem*, o homem só numa selva anterior à História, hoje só possível sob a proteção de uma campânula, habitando um mundo em que o bem e o mal ainda não se fizeram – ele está no vácuo entre o espaço físico total e tudo aquilo que ainda não foi escrito; o tempo flui rápido sobre si mesmo e se esvai na memória curta, nos olhos que só chegam até ali, à luz de um sol fugaz, em que se converte numa lenda circular que perpetuamente confirma apenas a si mesma. É um ser que, imerso na asfixia do tempo e nos limites físicos do espaço, ainda não foi arrancado de si mesmo; o seu duplo é apenas um sopro.

Chegamos a um ponto cego de partida, uma primeira imagem: escrever é arrancar-se de si mesmo.

2

Há um toque de ficção em tudo que se escreve, da lista de compras à alta filosofia – o mundo é imediatamente dobrado, duplicado, mas seria uma tolice determinar que, a partir do potencial de invenção que subjaz a todo ato de escrita, toda escrita é ficção, nada se distingue de nada e vivemos um fluxo perpétuo e irracional de semelhanças enganosas. Escrever seria necessariamente criar discursos, que, ao fim e ao cabo, resultam em nada mais que modos de falsear a realidade.

Nesta visão, todas as escritas têm natureza semelhante, a natureza do simulacro, e, portanto, tudo é ficção. É uma ideia tentadora, quase irresistível, pela intensidade poética que sugere: escrever é *sair daqui*. Ela comporta duas vertentes, uma conspiratória, outra encantatória. Penso nesta dualidade mais como expressões da personalidade de quem escreve, o tipo de *pathos* que a natureza e o acaso nos legaram, do que propriamente de uma distinção técnica. De qualquer forma, embora venham da mesma origem, são modos claramente distintos, que se deixam ver logo nas primeiras linhas.

Na vertente conspiratória, somos naturalmente seres negativos que se dirigem à morte e precisam negá-la; não há nada que se possa fazer a respeito, porque a natureza é soberana e a subjetividade uma mentira; fomos arrancados do mundo natural e não podemos mais voltar a ele; escrever é um processo insidioso de ocultação, e são impressionantes os meios de que dispõe esta segunda linguagem – inteira engravatada, como é a escrita – para nos enganar, criando fantasmas paralelos e arbitrários, tanto na ciência como na arte, que asfixiam o real, tentando simular um impossível retorno à suposta paz primitiva. Assim, é falsa a distinção entre ficção e não ficção – tudo é ficção; ou, pior, tudo é uma mentira, e a penosa ética da escrita seria torná-la límpida, trazer a mentira à luz do sol, denunciando perpetuamente o fracasso que, queiramos ou não, se volta sobre si mesmo. Não há válvula de escape ou de segurança, exceto no próprio ato de escrever, que é, por si só, um ato de desespero.

A segunda vertente é encantatória. Segundo ela, vivemos numa rede maravilhosa – não necessariamente otimista, alegre ou feliz, mas, no sentido atávico das narrativas orientais, das mil e uma noites, o maravilhoso como a suspensão do tempo e das regras sensoriais cotidianas. Esta rede fantástica de sentidos, causas e efeitos existe segundo essências inatingíveis pela lógica humana e revela sinais milagrosos em toda parte. O escritor, ou o poeta, é a *antena* – este objeto moderno de simples e alta tecnologia, que já foi usado como metáfora por um poeta louco e célebre lado a lado com o conceito arquiprimitivo de *raça* – com poderes de captação de um saber que, apesar da intransponível opacidade da natureza, está sempre pulsando no entorno, em busca (ou melhor: à espera) de um intérprete. O escritor é o intérprete das forças misteriosas do mundo.

Nessa visão, de um apelo instintivamente escapista, escrever é *descobrir*, no sentido imediato, básico da palavra: descobrir o que já existe, tirar o manto que oculta a realidade e revelá-la tal qual ela é. Para Ezra Pound, havia uma *raça* pulsando em alguma parte, que o poeta deve farejar – a palavra é historicamente grotesca, mas o seu espírito tem uma atração perene, o que seria a intransponível unidade da "alma do mundo", o comando irresistível. A realidade é um dado prévio que só se deixa ver por enigmas e só pode ser pressentido; escrever é revelar, ou, mais precisamente, deixar o mundo revelar-se pelas mãos do escritor, ou do poeta. É uma visão com o charme do irracionalismo poético, e certamente obras-primas se escreveram sob o sopro deste espírito de natureza regressiva.

3

Prosseguindo: nos dois casos, parece que a função de escrever é *revelar*, e revelar pressupõe uma realidade prévia, oculta, como se ainda inalterada por mãos humanas, pulsando no escuro. De certa forma, uma realidade *inalterável*. Eu aqui, o mundo ali. Conspiração ou encanto, a palavra escrita sob esta perspectiva como que prescinde de um sujeito, de um autor, de um criador – é a linguagem que nos comanda, não o contrário. E, se não comandamos, não temos escolha: o duplo define a si mesmo, e o escritor será apenas o mensageiro descartável.

Talvez seja assim mesmo, mas resisto à ideia. Nem conspiração, nem encantamento. Tento começar de um outro ponto: nada se revela – tudo se cria. Não é exatamente uma afirmação verdadeira, com certeza, porque, além de o verbo *criar* viver uma pretensão quase que divina, o real é necessariamente um dado anterior, e eu quero crer que ele não fala por si mesmo, ele não se apresenta por si mesmo, e em alguma medida precisa ser revelado, mas o ponto de partida que escolho tem a vantagem operacional de me colocar no centro. Ou melhor: de me escolher como ponto de partida, a afirmação da autoria como a fundação possível (porque não me ocorre outra, exceto Deus, que, provisoriamente, não posso – ou não quero – aceitar como variável consistente desta equação).

Para esconder minha fragilidade criativa, que tento encobrir de poesia, vou recorrer a uma imagem simples e funcional – que pelo menos uma vez se considerou "infame" entre os especialistas[1] – do pensador Mikhail Bakhtin, a quem devo

---

1 "Experiencing itself as unique, grasping (perceiving? understanding?) what Bakhtin infamously called its 'non-alibi in being', the subject interprets moral requirements in the form of a 'conscience' which addresses it and it alone, rather than a law. This stems from the fact that the I lives (as it did for Husserl) in its acts: it presses forward, it regards everything in the light of the future, shapes every object as an element of the 'horizon' (another Husserlian term) of its active subjectivity. In short, this is an I which cannot remain neutral in relation to practical (moral and ethical) demands: it experiences them as the voice of conscience which it can defy, but to which it cannot remain indifferent". HIRSCHKOP, Ken. Bakhtin in the sober light of day. *Bakhtin and Cultural Theory*. Manchester: Manchester University Press, 2001, p. 14.

praticamente todas as intuições que eventualmente já tive ao pensar sobre literatura: no evento concreto da vida, não temos *álibi*. Isto é, dizendo muito prosaicamente as coisas, eu não posso abdicar da minha *responsabilidade*, no seu sentido duplo, moral e prático. Como, no abismo do inescapável instante presente, não posso estar em outro lugar, não posso igualmente escapar da resposta. Ela é uma expressão imanente do ato de existir. Responder pelo ato presente é o que fazemos inelutavelmente, abrindo a geladeira, ligando a tevê, deitando-nos preguiçosamente, fechando os olhos, estendendo a mão para um garfo, sorrindo a um cachorro, olhando o céu, porque, voltando à infâmia, não temos álibi, mas há sempre um *duplo* no nosso gesto.

Pois bem, o ato de escrever é também parte da vida, ele suspende a vida apenas como metáfora. O tempo está passando enquanto escrevo; o mundo não interrompeu seu curso inexorável no momento em que decidi escrever; ocupo um lugar no espaço; por mais que eu tente escapar, eu prossigo sendo um *corpo*, esta coisa esquisita; eu envelheço enquanto escrevo, eu manipulo objetos (a caneta, o papel, a tinta, o teclado, o estilete). Mas – e aqui a metáfora faz sentido – ao escrever eu desembarco do universo da ação física existencial e entro como que de olhos fechados num túnel abstrato de sentidos, referências, memórias (como estou fazendo neste exato instante), e, de fato, simulo a mim mesmo, num gesto de vontade, fora do tempo e do espaço, transformando-me, no limite, em puro observador. Estou *vendo*, estou *sentindo*, estou *recordando*, estou *escolhendo*, estou *delimitando*, e, quase que no mesmo impulso, começo a transformar essa massa informe, confusa, fragmentária, arbitrária, de imagens, sentimentos, equações, ruídos e memórias, num todo orgânico regido estritamente pela gramática da escrita, que é sempre um roedor e moedor de sentidos, uma válvula de restrições, um incrível e angustiante funil semântico, um organizador do caos.

Estou, neste momento, em pleno ato de representação pela escrita, um campo histórico e cultural extremamente específico e especializado, que chega até mim de fora (além do fato de que não fui eu quem criou este sistema de signos, ele chegou até aqui já poderosamente organizado, com uma fantástica biografia atrás de si). Não me atrevo a entrar aqui em considerações científicas sobre todas as incríveis variáveis cognitivas que certamente estão em jogo quando escrevemos, o que de fato acontece neste momento crucial. Há uma enorme bibliografia de especialistas a respeito – com certeza, quase todo campo de conhecimento já se debruçou em algum momento sobre o milagre da representação.

Vou ficar apenas nos limites da minha vida de escritor e girar em torno de duas ou três coisas que já são consagradamente óbvias para sentir o que posso extrair delas. A primeira delas, elementar e fundamental, é que toda escrita é um *ato de representação*, e não a *coisa em si*, e de certa forma a linguagem escrita apenas duplica (ou tenta fixar) a mesma qualidade representativa que já estava na linguagem oral, em cada palavra pronunciada. Que entre a palavra e sua referência há um abismo de mistério, já sabemos – o célebre paradoxo do mapa de Borges[2], tão preciso que reproduzia concretamente o império que representava, é uma imagem maravilhosa da missão impossível que a linguagem propõe sempre que abrimos a boca.

---

2 BORGES, Jorge Luís. Sobre o rigor na ciência. *História universal da infâmia & outras histórias*. São Paulo: Círculo do Livro, s. d., p. 83.

Ocorre um fenômeno paralelo nesta representação: sendo imitação de alguma coisa que está fora do *texto*, sendo algo que só pretende a *reapresentação* do que se quer dizer, e sendo intrinsecamente incapaz da fidelidade cartorial que queria Borges em sua metáfora, a *reapresentação*, vivendo necessariamente um momento futuro, deixa sempre para trás o espaço e o tempo que eram parte integrante do objeto vivo; assim, a escrita se torna *outra coisa*, ela em si um *objeto*, que, como as ruínas do mapa, desdobra-se em outros sentidos. A *reapresentação*, quisesse o escritor ou não, criou uma outra coisa. O real inchou; depois de escrito, ele está maior do que era; ele é a coisa em si, mais o que escreveram dela. O que impressiona na escrita é que sua intervenção – que é fátua e volátil quando ao simples sabor da voz – permanece, acrescenta-se ao objeto representado e ali fica. Quem quer que toque novamente o objeto tocará o objeto e mais o que dele já disseram.

4

Mas há um terceiro ator nesta história, além do escritor e daquilo que ele reapresenta quando escreve: o leitor. Quando escrevemos, alguém nos ouve. Na verdade, dirigimos a escrita para este alguém inominado. Há situações em que o leitor é claríssimo, transparente: quando escrevemos um e-mail, por exemplo, ou uma carta, lembrando este gênero da linguagem escrita de um tempo mais antigo. Nestes casos, já começamos assim: *Prezado Fulano de Tal*. Fulano está ali, diante de nós na cabeça – há um território em comum em que cada palavra já vem carregada de sentidos prévios. Mas vamos desconsiderar este uso ultrapragmático da escrita, que, no entanto, é útil para entender a triangulação essencial do ato da escrita: um autor, um assunto, um leitor. Mas quem é o leitor de um romance, um poema, um ensaio? Quem é o leitor deste texto que escrevo neste exato momento? Onde ele está? O que ele pensa? Como ele é? Enfim, ele existe? Se existe, qual a natureza da relação que eu tenho com ele no momento em que escrevo?

Vou escrever um poema, digamos, sobre a morte, um tema absolutamente universal e onipresente. Impossível ignorá-la. Ocorre-me uma imagem qualquer, uma inspiração, e ponho-me a escrever alguns versos sobre a morte, como milhares ou milhões de poetas já fizeram na vida: em algum momento, escreveram sobre a morte. No momento em que eles escrevem, quem é o leitor? Há, de fato, um leitor espiando a obra ou tudo se passa exclusivamente entre o poeta e a imagem que ele tem da morte, o seu assunto?

Ou então um prosador vai escrever a história de um homem que morreu ou, melhor ainda, de um homem que vai morrer: *A morte de Ivan Ilitch*, de Tolstói, por exemplo. No momento em que Tolstói escrevia, quem era o leitor? Havia um leitor? Hoje, sabemos disso, milhares e milhões de pessoas em uma centena de países já leram esta obra-prima. Mas, naquele exato momento em que a narração saía do nada e se tornava uma composição escrita, palavra a palavra, onde estava o leitor? A quem se dirigia aquela história?

Vamos observar um terceiro caso: um cientista, um médico, vai escrever sobre a morte. Que fenômeno é este? Como o coração para de bater ou o cérebro para de funcionar? Em que momentos podemos afirmar, sem erro, que alguém morreu? O especialista pega da caneta e começa a descrever este fenômeno absolutamente comum e, no entanto, extraordinariamente misterioso. Ele explica à luz da ciência biológica, ponto a ponto, o que acontece quando morremos, os descaminhos do sangue, o calor que se esvai, a respiração que se encerra. Mais uma vez: a quem ele explica, no momento em que escreve? Quem é o seu primeiro leitor? Os segundos e terceiros serão, provavelmente, os estudantes de medicina, os colegas médicos, os candidatos a um posto no Instituto Médico Legal. E no momento da escrita? Que influência esse leitor secreto, se existe, exerce no escritor?

Vamos adiante: o jornalista escreve sobre a morte de, digamos, Tancredo Neves ou Eduardo Campos, para ficar em dois exemplos de imenso impacto político na vida brasileira. No dia seguinte, o texto estará no jornal e será lido por milhares de pessoas. Mas, no momento em que o jornalista escreve, há um leitor? O que ele pensa? Em que medida ele interfere no texto, se interfere?

Ou ainda, seguindo esta enumeração perpétua: o publicitário vende os serviços de cremação e escreve um texto sobre a morte e suas consequências práticas (e sempre inexoráveis) na vida das pessoas. É um texto gentil, talvez com traços poéticos: senhores, a morte é inevitável, mas podemos torná-la menos dolorosa, usando os modernos serviços de cremação Y. Nós cuidamos de todos os problemas práticos e tudo faremos para que o seu sofrimento fique apenas na justa medida. Certamente haverá muitos leitores deste texto, mas, no momento em que a mensagem publicitária era pensada e escrita, havia um leitor na cabeça do escritor? Como ele era? O que esse leitor imaginário pensa do lado prático da morte? Isso é relevante para o publicitário que escreve?

Como a lista não terá fim, fiquemos nestes cinco exemplos básicos. Parece que podemos aceitar, como ponto de partida, que não há escrita sem um leitor que a determine; ele é o interlocutor secreto do texto, a sua sombra, o seu fantasma. Partilhamos com ele, desde o primeiro segundo, uma gramática comum, palavras comuns, sentidos comuns; a escrita mantém, neste primeiro momento, a particularidade essencial da nossa fala, que é a presença determinante do ouvinte, a sua inescapável natureza social. É primordialmente para ele que falamos, não para as estrelas.

Bem, em três dos casos acima – o cientista, o jornalista, o publicitário –, o leitor costuma ser uma figura conceitualmente não problemática, no sentido de que ele precisa ser delimitado com clareza e objetividade por quem escreve. O leitor de um texto científico, de um texto informativo de jornal, de uma peça publicitária é, para usar uma metáfora, coautor do que se escreve, é parte ostensivamente integrante do texto; afinal, os textos são escritos diretamente para eles, condicionados por eles, mesmo não estando eles gramaticalmente ou fisicamente presentes. Trata-se de uma presença indireta, mas delimitável passo a passo; em cada um desses casos, o escritor imagina (ou leva em consideração) grande parte de aspectos muito objetivos: a classe social do leitor, o seu sexo, a sua idade, o seu vocabulário, a sua intuição, o seu senso de humor, o seu interesse, a sua origem, a sua religião, etc. Tudo é relevante.

Mesmo que o escritor não pense conscientemente nisso, esse quadro é o condicionante subjetivo de cada palavra que ele escolhe e escreve, de cada entonação, de cada bloco de informações. De certa forma, nesses três casos, "o leitor manda", direciona cada mínimo sopro de sentido.

Também nos três casos, mas agora com nuances sutilmente distintas, há, na cabeça de quem escreve (e aqui chegamos a um outro ponto relevante), uma intencionalidade bastante específica, uma espécie de *pressuposição de verdade*. A noção de verdade é etérea demais, complexa demais, para ser debatida aqui neste roteiro e principalmente para os limites deste escritor que vos fala.

Fiquemos no chão mesmo: a pressuposição de verdade é uma categoria simples, intuitiva e viva: todos entendem o que isso quer dizer. É uma espécie de recado que eu dou ao leitor, já a priori, de que o que ele vai ler é algo objetivamente verdadeiro; ou melhor, de forma mais precisa, é algo que representa o máximo esforço daquele que escreve em ser fiel à realidade, mesmo que ele saiba que esta fidelidade, ao fim e ao cabo, é relativa, ou filosoficamente impossível, ou inalcançável, etc. Não importa: eu me esforço ao máximo para ser fiel, e o leitor levará este esforço em consideração.

Há gradações notáveis, é claro. Talvez o cientista leve isto terrivelmente mais a sério; o jornalista já conta com flutuações interpretativas que fazem naturalmente parte do jogo da informação política, mas, em nenhum momento, ele largará o fio da pressuposição de verdade; e o publicitário – o caso compreensivelmente mais difícil dos três – também lutará para dar a impressão de verdade, mesmo que, de comum acordo entre o publicitário e o leitor, sabe-se que na publicidade há uma enorme margem de liberdade quanto a este quesito.

Mas, mesmo que a mensagem publicitária seja inteiramente mentirosa, em nenhum momento o seu autor o confessará. (É possível, é claro, que o cientista, o jornalista e o publicitário estejam mentindo; é possível que eles saibam que o que escrevem *não é verdade*, que estejam intencionalmente contando mentiras, mas isso não importa para a constituição de sentido do texto que se propõe fiel à realidade; o leitor pressupõe que o texto é verdadeiro, porque o escritor assim o apresenta.)

5

Pensemos agora nos dois outros casos (para nos concentrarmos em dois extremos típicos num espectro virtualmente infinito de possibilidades textuais): o poema e o romance. O leitor implícito deles, se existe, tem uma natureza diferente? Se sim, em que sentido? Podemos aventar, já num primeiro momento, que este leitor não terá a nitidez do leitor dos textos científicos, jornalísticos ou publicitários, exceto talvez em casos específicos (poemas ou contos infantis, por exemplo), mas certamente também estará presente; ou a linguagem, sem um *duplo* que a escute, não chegará a se constituir.

Podemos dizer com algum grau de certeza que a referência, aquilo de que se fala, também não terá, na ficção ou na poesia, a clareza e a delimitação de um texto científico, jornalístico ou publicitário. Não é apenas a nitidez que se esfumaça, é também a natureza da referência, o seu estatuto concentrado de realidade (um fato científico, um acontecimento político, um produto à venda); a referência como que perde o seu contorno específico no mundo concreto. (Mais uma vez, é preciso delimitar as exceções, já que as coisas da realidade não vêm já classificadas de fábrica, do tipo "isto é um poema, aquilo é um pneu, estoutro uma notícia, acolá um quadro abstrato, aqui uma melodia romântica"; as coisas simplesmente estão aí, a classificação é um ato externo, a posteriori, realizada pela incansável máquina organizadora do olho humano.) Na literatura, não costumamos escrever sobre "coisas"; pelo menos elas em geral não serão o ponto de chegada do texto.

Há outro aspecto importante da constituição da escrita literária (vamos chamá-la assim doravante), que, embora não seja uma distinção absoluta, é relevante o suficiente para ser levada em consideração. O impulso que nos leva a fazer literatura não é, pelo menos em princípio, solicitado, profissionalizado ou enquadrado cultural ou socialmente, do modo direto e concreto com que textos científicos, jornalísticos ou publicitários costumam ser. A distinção não é absoluta, porque, obviamente, há romancistas e poetas que escrevem sob encomenda, é claro; porém, mesmo nestes casos (que são mais acidentais que permanentes, e em geral ocorrendo com escritores já estabelecidos como mestres seguros de seu métier), a delimitação do que se vai escrever costuma ser muito mais frouxa e livre do que nos casos anteriores que vimos. De qualquer forma, é a exceção.

Fiquemos com a regra, na didática pedestre: o escritor literário define-se tipicamente como aquele que escreve com liberdade, por sua conta e risco, sobre o que bem entende, sem prazo ou limite de extensão, e o produto do seu trabalho não costuma ter uma utilidade prévia e claramente estabelecida. Podemos afirmar que, se esta não é a regra universal e permanente, parece definir sem dúvidas o impulso do primeiro texto literário, a escolha existencial que, levada ao seu extremo, acabará por deixar marcas para o resto da vida. Em suma: um trabalho solitário, não solicitado, realizado com objetivos difusos. Na verdade, o escritor iniciante ainda não sabe bem o que ele quer escrever. Às vezes (talvez na maior parte dos casos), passará a vida inteira sob esse clima de incerteza. E muitas vezes – talvez quase sempre – ele não sabe nem mesmo *o que* escreveu. Os sentidos vão lhe escapando no momento mesmo em que ele escreve, e é possível que, anos depois, ao reler o seu trabalho, se surpreenda (no bom e no mau sentido) com aquele autor agora estranho, com seu olhar, sua intenção secreta, seu ritmo, suas carências, seus achados.

6

Talvez esse detalhe – um trabalho que, por princípio, é fruto exclusivo de uma determinação da vontade pessoal, livremente assumido – esteja na raiz do que podemos especular em torno da ética da prosa. Afinal, o que entra em jogo, na rede de um sistema de valores éticos, quando entramos no jogo da literatura?

Antes de tentar achar uma resposta, vamos delimitar um pouco mais o foco desta conversa, considerando, na escrita literária, a natureza da relação da linguagem do escritor com o seu objeto, se ele é um ficcionista ou se ele é um poeta. Aparentemente, trata-se da mesma coisa, mas eu penso que não, que há uma distinção importante a ser considerada. É uma breve separação de águas, bastante simplificada, mas que vai nos servir neste momento.

Retomemos o tema que aventamos há pouco: a morte. O poeta e o romancista se aproximam deste tema da mesma forma? Acredito que não; aliás, penso que o *modo* como o escritor se aproxima do tema determina o gênero do seu texto; na verdade, determina a natureza do escritor. Por exemplo: se ele é um poeta ou se ele é um prosador. Não entendo que esta seja uma questão meramente de forma composicional (o que facilitaria tudo); há romances escritos em versos e poemas escritos linearmente em prosa; portanto, definir a composição formal não nos ajuda muito aqui.

O ponto que realmente faz diferença é o modo como o escritor se posiciona diante do seu objeto quanto à pressuposição de verdade (voltando a esse breve princípio). Mas não se trata mais da pressuposição de verdade quanto à natureza do objeto (o que é bastante nítido para o cientista, por exemplo); a pressuposição da verdade, aqui, se relaciona ao grau de *sinceridade implícita* do escritor. Nesse sentido, o que a poesia diz é exatamente o que o poeta diz: ele concorda com as palavras que escreve, e isso resulta visível em cada sílaba escrita. Há uma inescapável natureza afirmativa nos poemas – a voz intransferível, direta, sem máscaras ou subterfúgios do poeta está ali. Claro, o poeta não é um cientista, e jamais falará da morte com a intenção unívoca absoluta da ciência; o objeto do poema pode ser (e muitíssimas vezes é) difuso, inteiramente subjetivo, pleno de dúvidas do começo ao fim, mas o que sentimos também do começo ao fim é que cada palavra ali é a palavra do poeta; ele está inteiro nos versos, e acreditamos diretamente em cada palavra enunciada. A alma da poesia, na sua máxima intenção poética, raras vezes é cínica, e mesmo irônica (a ironia poética é quase sempre uma ironia filosófica e tende à universalidade, não ao específico, à determinação explícita); não há distância visível entre o poeta e sua palavra – ele se coloca integralmente nela, e essa é a chave do seu fascínio. O leitor do poema *acredita* no que o poeta diz, é exatamente neste território comum, quando acontece, que a poesia se faz.

 Já o romancista, por profissão de fé, jamais se coloca integralmente na palavra que escreve. A sua pressuposição de verdade sofre uma refração fundamental por princípio. O seu objeto nunca são as coisas tomadas em si, sobre as quais ele teria algo sincero a dizer, à maneira do poeta; o seu objeto são, antes, pessoas que pensam sobre as coisas. E, mesmo nos casos em que fala de si mesmo, o que é muito frequente, o prosador mantém um pé firme de distância de sua própria imagem – é a condição sine qua non para que ele não resvale para a poesia ou para o confessionário pessoal (que já é outra coisa). Entendo que nesta distância está a essência da prosa.[3] (Lembro apenas – mas o detalhe é fundamental e, portanto, deve ser mantido em mente até o final deste texto – que me refiro a *limites dominantes* do espectro sempre fluido dos gêneros literários; a prosa vê-se frequentemente mergulhada em intencionalidades poéticas; e a poesia costuma se contaminar do espírito da prosa. Pode-se mesmo dizer que na história da literatura há momentos predominantemente prosaicos e outros poéticos, o que Bakhtin chama de forças centrípedas e centrífugas do discurso literário.)

7

Isso posto, estreito mais uma vez o foco da minha conversa, fechando-a na figura do prosador, que, afinal, coincide comigo. Em minha defesa, digo que a vantagem desta escolha está no fato de eu falar com experiência e conhecimento de causa; o defeito é que – o leitor deve se manter atento – talvez isso seja um álibi e tudo se resuma a um discurso em causa própria. Avanço de mim mesmo em direção à ética, e não o contrário, mas talvez isso seja inevitável. Ou, por outra, seja o único modo de pensar eticamente. Voltando à literatura, de fato acredito que, para o poeta, a questão ética talvez tenha um peso especialmente diferenciado em função da pressuposição de verdade de sua voz literária. Talvez; não saberia dizer com certeza. Assim, vou tentar ir direto ao fenômeno, o Graal da suposta "coisa em si".

---

3 Faço aqui uma simplificação apenas esquemática da visão original de Mikhail Bakhtin (1895-1975) sobre o tema (*Teoria do romance I – a estilística*. Trad. Paulo Bezerra. *São Paulo:* Editora 34, 2015), que foi objeto de minha tese de doutorado (*Entre a prosa e a poesia – Bakhtin e o formalismo russo*. Rio de Janeiro: Rocco, 2002; edição digital: Amazon, 2014).

Como sou um escritor de temperamento visual – parece que só escrevo o que vejo –, vou tentar criar uma imagem como ponto de partida. O prosador está diante da página em branco e vai escrever o seu primeiro texto, por sua conta e risco. Ninguém pediu isso a ele. Ele pode ter quinze anos, ou quarenta anos, neste momento – não importa. O que ele vai escrever – contar uma história, descrever uma sensação, criar uma imagem – não tem um objetivo muito claro. A motivação pode variar enormemente. Ele acabou de ler um livro que o tocou profundamente e sentiu vontade de escrever algo semelhante. Ele sente uma revolta grande contra o mundo, ou contra a família, ou contra a sua cidade, e resolve escrever sobre isso. Ele está deprimido, e imagina que se escrever sobre isso vai se sentir melhor. Talvez ele já seja um leitor maduro e agora sinta que é o momento de ele mesmo escrever. As possibilidades são infinitas: se o leitor já sentiu esse impulso, e é bem possível que sim, ponha-se no lugar com a sua própria história.

O que ele tem na cabeça antes da primeira palavra escrita é um caos de memória e desejo; ideias e imagens estão ainda informes na gramática mental que se organiza no ar a partir da oralidade, em fragmentos desconexos ou ligados apenas por fios frágeis. Na vida real, à solta, a linguagem nos leva em meio a um gigantesco espectro de andaimes e ruínas de sentido que vão se costurando e se desfazendo ao sabor do instante presente.

Escrita a primeira palavra, a segunda, a terceira, inicia-se o processo irreversível de deslocamento. Volto à primeira imagem: o escritor é arrancado de si mesmo em direção a um mundo estranho, delimitado por uma escrita que, para fazer sentido, não pode jamais recorrer às muletas que mantemos na cabeça para uso próprio. De certa forma, a linguagem escrita assume o comando do escritor.

Dito desta forma, pode parecer que se trata de uma espécie de magia, uma imagem que ressoa a visão popular do artista criador: o escritor fecha os olhos, entrega-se à inspiração, e as palavras lhe brotam dos dedos como se caídas do céu da arte. É o imaginário da *revelação*, que tem uma grande presença na nossa vida. Mas, para que isso seja verdadeiro (neste texto, estou aqui no papel do cientista, não no do artista), seria preciso que o mundo extraordinário dos significados estivesse inteiro fora de mim, sendo eu apenas um mensageiro. Não consigo ver as coisas assim, embora às vezes eu tenha a sensação (o leitor, se escreve, já deve ter sentido o mesmo) de que, de fato, os sentidos brotam do nada. Mas não me iludo: é só impressão.

O que eu escrevo naquela página em branco não será jamais cópia fiel do mundo, como pretendia a cartografia de Borges; não será também, jamais, cópia fiel do que pretendo dizer, porque a massa mental do meu desejo é despejada no funil da escrita, e ali esta massa revela-se esquálida, magra de conexões, sentidos e concordâncias que, imediatamente, sugerem outras conexões, sentidos e concordâncias.

Estou, de fato, criando uma outra coisa, criando uma nova realidade, antes inexistente. Às vezes, um pequeno monstro. Às vezes, algo familiar. Sinto que naquelas primeiras frases se mantém, sem dúvida, um parentesco com o mundo, a situação, o objeto que quis retratar; e também sinto que permanece uma ligação visível com o que estava na minha cabeça antes da primeira palavra escrita, mas não é mais uma coisa nem outra. Entramos, sem retorno, num território estrangeiro.

8

Para se entender com alguma nitidez a natureza *estrangeira* da prosa, vamos puxar pelo paradoxo e refletir sobre os gêneros que giram justamente em torno da autorrepresentação – o escritor que fala de si mesmo. Há pouco tempo entrou em circulação acadêmica no Brasil o termo "autoficção", criado por Serge Doubrovsky nos anos 70 para designar uma obra ficcional que toma como objeto o próprio autor e fatos reais de sua vida. Os anos 70 foram especialmente pródigos, via França, na criação de uma rica terminologia literogramatical para a definição de fenômenos literários, seguindo os estudos que recolocavam em pauta os princípios teóricos do chamado formalismo russo, o movimento crítico que revolucionou os estudos da linguagem literária no início do século 20. Neste embalo, a academia se encarregou de classificar o conceito de Doubrovsky como um capítulo importante da teoria literária, e daí, tornando-se uma espécie de moda, a chamada autoficção passou também a ser objeto de anátema; pelo menos no Brasil, muitos críticos passaram a ver nela um reflexo perverso da decadência moral, via narcisismo sem freios, dos nossos tempos.

Considero esta crítica moral uma bobagem. As raízes do que se chama autoficção já estão lá nos diálogos de Platão, cruzam por Santo Agostinho, aparecem no Japão com Sei Shônagon e *O livro do travesseiro*, amadurecem nos ensaios de Montaigne e chegam praticamente à alma do todo romance moderno. Do ponto de vista da produção de sentido, o aspecto meramente gramatical da presença ou não do próprio autor não tem relevância notável, assim como o narrador usar a primeira ou a terceira pessoa gramatical não é essencial para definir a natureza do texto, embora a escolha tenha consequências composicionais importantes. Para o que aqui nos interessa, o território estrangeiro da prosa, o que é preciso averiguar é o grau de pressuposição de verdade que o autor assume e em que medida esta pressuposição é relevante para determinar o gênero do que se lê (e a relação do leitor com o texto, porque, afinal, é o leitor que dará sentido final ao texto).

Já num primeiro momento, vamos colocar em um capítulo separado a autobiografia, assim declarada pelo autor, ou a biografia, porque, num caso ou noutro, sob a perspectiva da pressuposição de verdade, o que muda será apenas o objeto do texto, eu mesmo ou outra pessoa – em ambos há um contrato com o leitor determinando que a verdade factual é um imperativo inegociável do texto. Exemplo: numa obra que se apresenta como autobiografia, eu não posso começar informando ao leitor que nasci em 1957 se eu nasci, de fato, em 1952. Eu posso interpretar como eu quiser esses fatos, mas os dados concretos – data, lugar, o que aconteceu – não podem estar errados. Se por alguma razão eu não disponho da informação exata, tenho de deixar isso claro para o leitor. Nesse sentido, o fato de eu falar de mim mesmo ou de outra pessoa não modifica a natureza do contrato com o leitor (embora, é óbvio, a escolha do ponto de vista tenha consequências estilísticas, retóricas e composicionais importantes).

Qualquer outro texto sobre mim mesmo que não assuma esse princípio como imperativo regulador do que estou escrevendo entra no território da ficção, com todos os seus direitos exclusivos. Isto é, do ponto de vista do gênero literário, um livro ser "baseado em fatos reais", mas não rigorosamente, ou "contratualmente", ancorado neles, já o coloca no território da ficção; já se propõe como o que podemos chamar de *representação de hipóteses de existência*. Para o cinema – apesar da extraordinária nitidez da representação fotográfica (ou, paradoxalmente, justo por ela) –, toda cinebiografia já se apresenta como hipótese. A chamada pressuposição de verdade, no cinema, só é mesmo realizável nos documentários estritos, quando todo recurso ficcional, ou zona cinzenta de representação, é objetivamente deixado de lado.

É bom relembrar que a classificação dos fatos do mundo se realiza sempre a posteriori, dependendo dos pressupostos com que eu os organizo. Isto é, os gêneros literários não foram criados pelos deuses, mas pela própria prática do *homo scribens*. Assim que começamos a escrever, o mundo imediatamente começa a se classificar com uma minudência impensável ao jogo da oralidade e da memória. A classificação didática que faço aqui não pode elidir o fato de que as distinções da vida real são sempre mais quantitativas do que qualitativas. Há um leque imenso de possibilidades entre um livro baseado pesadamente em fatos pessoais (mas sem assumir a *pressuposição de verdade* das verdadeiras biografias) e um livro que apenas lança mão de um, dois ou três episódios da vida real do autor. Do ponto de vista que assumo aqui, ambos são *ficções*, porque a estrita veracidade ou não dos fatos apresentados não tem relevância para o sentido que se extraia dos livros; eles são *romances*, hipóteses de existência. Eles não fazem da veracidade a sua pedra de toque; não é desta fonte que eles extraem seu sentido.

Já na biografia ou autobiografia, o princípio de veracidade factual é o eixo regulador de sentido; sem ele, perdem completamente sua razão de ser. É certo que o biógrafo pode *mentir*, mas a mentira, é claro, apresenta-se como verdade, coloca-se no território da verdade e é apenas nele que pretende significar. A ficção jamais tem esta pretensão factual – ela se move reflexivamente em outra esfera. Pode-se acusar um ficcionista de tudo, exceto de ele ser um mentiroso.

9

O território estrangeiro da prosa é o embrião de sua ética. A escrita de ficção nunca é uma tradução literal de um quadro de valores previamente estabelecido que ali, na reapresentação existencial que a ficção realiza, encontra e define sua forma "física", antes apenas (e já completa em seu estado anterior) mental.

Sem o compromisso de pressuposição factual da verdade (o prosador de ficção, no momento em que escreve, não é um cientista, não é um historiador, não é um sociólogo, não é um religioso, não é um político, não é um publicitário, embora seus personagens, seus objetos de representação, possam os ser), o escritor desembarca de si mesmo, descola-se da tranquila convicção íntima de sua própria palavra, afasta-se do *aqui e agora* inarredáveis da própria existência; e, pelo funil da escrita, a rígida gramática que se inscreve desbravadora no papel em branco (apreendida na infância a duras penas de um mundo cultural de referências marcadamente alheias) passa a desenhar uma existência hipotética, dupla, que, mesmo na mais despretensiosa e curta narrativa, já afirma seu desejo de concorrência ao espelho do chamado mundo real. Quando escrevemos, inverte-se a equação: o mundo real é que é vago, esfumaçado, volúvel e volátil, quase que um incompreensível teatro de sombras; em meio à neblina real, a escrita vai assomando e se tornando solidamente presente, compacta, concreta, de limites precisos, claros e nítidos, com começo, meio e fim, com uma determinação e uma síntese absolutamente inalcançáveis para o real.

A ética da prosa nasce do que podemos chamar de "princípio de observação" de toda obra ficcional e da distância que ele exige. Vimos que, se o poeta fala com a marcada autoridade de suas próprias palavras (e é exatamente isso que queremos ouvir quando lemos um poema), o prosador desloca de si mesmo a autoridade da fala no exato momento em que se propõe falar – mesmo que seu objeto seja ele mesmo. Conscientemente ou não, ele precisa instituir um narrador, criar um ponto de vista distinto (com todas as consequências temporais, geográficas, culturais e morais que isso representa), a partir do qual aquele simulacro de realidade vai se erguer (para fazer frente à própria realidade). A instituição de um narrador, que é o fundamento da prosa, significa a criação de uma linguagem paralela, que apenas parcialmente é a voz do escritor. (Se for totalmente a voz dele, estaremos diante de um cientista, de um poeta, de um ensaísta, mas não de um ficcionista.)

Num belo estudo sobre Pascal e "o triunfo do mal", Erich Auerbach considera que o paradoxo segundo o qual "um homem pode cometer injustiça mas nunca sofrê-la" (porque tudo que nos acontece seria expressão de Deus, portanto justo) é valioso como uma hipótese de trabalho ética. E prossegue: "Pelo menos em sua fase inicial, a ética só pode ser individual, isto é, uma questão entre mim e minha consciência".[4] Sem

---

4 Cf. AUERBARCH, Erich. *Ensaios de literatura ocidental*. São Paulo: Duas Cidades & Editora 34, 2012, p. 190.

nem de longe pretender entrar nos complexos desdobramentos filosóficos despertados por Auerbach, vejo neste princípio elementar ético a essência do gesto estritamente poético: entre mim e minha consciência, faz-se a poesia, que, em última instância, mesmo num único verso, é a instauração de uma cosmogonia ética. Tanto maior será o poeta quanto mais sua voz única, pessoal, fizer ressoar uma voz coletiva impressentida. Não por acaso, o gesto poético puro mantém sempre um toque filosófico, enigmático e oracular.

A "minha consciência", entretanto, é insuficiente para dar forma à prosa de ficção. Apenas com ela não vou muito longe como prosador. Eu preciso de um narrador que viva fora de mim, e com esse narrador virá sempre um pacote completo de linguagem e valores alheios com os quais eu tenho de lidar. Na boa prosa de ficção, os estranhos nunca serão apenas e exclusivamente *objetos* do meu olhar. Eu tenho de, em alguma medida significativa, respeitar a autonomia dos outros, dar a eles a palavra, ouvi-los. Além do mais, a *reapresentação* do mundo que está na alma da ficção, o seu espírito de concorrência com a realidade (quase como um projeto de reengenharia geográfica e temporal do quarto, da casa, da vila, da metrópole, do país, do mundo) obriga-me a um "pacto realista" inescapável, o ponto em comum com o olhar do outro, a escravidão da simulação fotográfica que estará presente mesmo na mais fantástica e inverossímil narrativa. Isso tem consequências éticas; eu não posso fugir do meu aqui e agora; há limites para o meu voo, porque, na prosa, tudo me puxa para o chão comum.

10

Chego, assim, ao final deste quebra-cabeça: minha hipótese é que a ética da ficção é necessariamente uma ética fundada estritamente sobre minha relação com os outros, que serão a medida inescapável do que eu escrevo, mesmo que o meu objeto seja eu mesmo. A prosa de ficção é um modo original de apreensão e reconhecimento da vida e do mundo, distinto da filosofia, da ciência, da poesia e da fé, e não apenas um capítulo das técnicas narrativas ou um item de um quadro clássico e congelado de gêneros literários. Não há nada mais primário do que falar, por exemplo, da "morte do romance", como se o mundo da criação literária se reduzisse a uma prateleira de supermercado com novidades formais a cada ano – ou mesmo a cada cem ou duzentos anos.

A vida e a força da prosa de ficção, bastante variáveis ao longo dos séculos (a literatura não é uma atividade teleológica; nas mãos dela, o futuro está sempre suspenso), dependem, entretanto, de determinações históricas bastante precisas: a intensidade da vida e da cultura urbanas, o impulso globalizante, o espírito de tradução, a presença ativa da escrita, a (sempre) relativa liberdade de discursos contrastantes, o choque e a influência de linguagens distintas, o peso e a valorização das diferenças sociais e de suas linguagens específicas e, principalmente – voltando aqui a Bakhtin – o princípio do "homem inacabado", perpetuamente por se fazer.

Eis aqui outra fundação incontornável da prosa de ficção. O conceito revolucionário deste "homem inacabado", a condição humana que desde os diálogos socráticos esteve e estará sempre por se fazer, destrói a tranquila estabilidade do mito épico clássico. A ideia geradora de uma condição humana inacabada representa o pressuposto laico indispensável à vitalidade da prosa de ficção. Pensar na condição humana como algo essencialmente inacabado e irresolvido já é, por si mesmo, um fundamento ético. E esse vem sendo através dos tempos o território por excelência da prosa de ficção.

A ERA DA PÓS-FICÇÃO: NOTAS SOBRE A INSUFICIÊNCIA DA FABULAÇÃO NO ROMANCE CONTEMPORÂNEO

Julián Fuks

Outros, eles, antes, podiam, escreveu certa vez Juan José Saer, abrindo com essas palavras um dos contos mais radicais já escritos nestas e em outras terras, cada passo de seu plural protagonista interrompido por uma angustiante vírgula.[1] De que falava nesse momento o escritor argentino talvez não seja fácil determinar; o que era exatamente que outros, eles, antes, podiam, e que estes, nós, agora, não podemos mais. Mas talvez nos caiba a extrapolação de dizer que outros, eles, antes, podiam tudo, podiam escrever seus livros com uma liberdade quase irrestrita, podiam conceber uma infinidade de nomes e sobrenomes e atribuí-los aos seus protagonistas, podiam abordar os mais variados conflitos, podiam inaugurar uma miríade de espaços e tempos em suas narrativas, podiam elaborar os mais diversos enredos desde que parecessem minimamente verossímeis, enquanto nós, escritores e escritoras do presente, nos vemos tantas vezes constrangidos, por vírgulas e outros pudores, nos vemos tolhidos em certa liberdade criativa, nos vemos impelidos a rechaçar os fartos enredos verossímeis e a substituí-los por algo bem mais raro, bem mais incerto, bem mais resvaladiço: os enredos verdadeiros.

1 SAER, 1972, p. 125.

Eis então que a verdade que há tempos já não goza de grande respeito e grande estima em tantos campos do conhecimento, a verdade que em nossa gerência diária de informações estaria caindo em descrédito, eis então que a verdade recupera nas obras literárias uma centralidade imprevista. Cumpre-se tardiamente, e de maneira muito mais literal do que seria de se imaginar, a velha diretriz estabelecida por Tolstói: a virtude maior de todo artista que se prezasse devia ser a sinceridade, expressa em seu apego rigoroso à verdade.[2] Ou convém dizer o mesmo em termos mais pessimistas: eis então que a ficção que já há alguns séculos vinha sendo a principal propulsão da escrita criativa, a ficção que se tornara a forma mais contundente de expressão do presente e da experiência humana, eis então que a ficção parece estar desertando inúmeros escritores em seu ofício, obrigando-os a trabalhar agora apenas com o que lhes resta num cotidiano imediato, com suas próprias biografias, seus próprios passados, suas parcas lembranças e suas vivências diárias quase sempre pueris. Outros, eles, antes, podiam. Estes, nós, agora, só podemos isso, só nos resta essa prática comezinha tão carente de imaginação, tão carente dos vastos recursos da fabulação. Somos, tantos de nós, seres estranhos, deslocados, perdidos: somos ficcionistas na era da pós-ficção.

Notícias dessa nova crise com que o presente nos brinda, a crise específica da ficção depois de tantas outras crises, crise do narrador, crise da arte, crise da representação, crise do sujeito, crise do sentido, notícias dessa nova crise nos chegam de toda parte. James Wood, célebre crítico imerso no prolífico mercado de língua inglesa, enxerga também ali uma carência subjacente,

2 TOLSTÓI, 1896, p. 103.

romancistas que já "não têm uma ideia fixa sobre como proceder em relação ao romance", que se perdem em sua rejeição parcial aos recursos realistas, que não têm em vista nenhuma solução clara para esse amplo problema.[3] Beatriz Sarlo, célebre crítica inserida em contexto tão diverso, leitora fina das letras argentinas, aponta ali um predomínio excessivo da primeira pessoa, um "eu que se libertou e exerce o seu império", um eu obcecado com sua própria experiência, incapaz agora de se apagar e de "imaginar uma terceira pessoa, sua linguagem, suas repetições, suas traições, seu desejo e sua paixão", incapaz de "imaginar uma distância entre um eu escondido e um personagem".[4]

Por toda parte, então, parece ganhar espaço uma nova atitude no campo das letras, entre centrais e periféricos, entre estabelecidos e marginais, entre veteranos e principiantes, entre acomodados e inquietos. Por toda parte vão surgindo romances cujo princípio originário parece ter sido subtraído, peças de ficção em que não se ressaltam traços ficcionais conspícuos, atos de ficção cujo gesto fundador foi abolido. Narrações sem narradores típicos, conduzidas pela voz quase imediata dos autores, dos sujeitos cujos nomes se estampam nas capas dos livros. Romances sem personagens convencionais, suas páginas ocupadas por figuras preexistentes à própria obra, figuras que subsistem para além das palavras que supostamente as constituiriam. Biografias em que nada ou quase nada está permitido francamente fantasiar, biografias cuja transgressão máxima reside em seu caráter equívoco e especulativo. Fábulas sem um espaço fabular, sem construções cenográficas, fábulas de um

---

3 WOOD, 2017.
4 SARLO, 2017.

tempo presente, fábulas cujo tempo está sincronizado com a própria escrita. Narrativas, por fim, em que o narrar avança sobre outros limites, o narrar testemunha, o narrar disserta, o narrar critica, o narrar opina.

A história do romance, assim, já marcada por convulsões profundas e sucessivas, nos depara agora com uma virada imprevista, um muito suspeito retorno às origens. Da indistinção primeira entre gêneros o romance se erigiu, diferenciando-se paulatinamente de outros registros da vida, do relato histórico, do testemunho pessoal, do discurso político, do jornalismo. Três séculos mais tarde essas distinções que o impeliram adiante já não se veem tão firmes, o romance se afasta de si e de suas muitas conquistas em direção àquilo que, alguma vez, apenas nos primórdios, o constituiu – e quase poderíamos recear a partir disso sua dissolução definitiva.

Mas não; se algo nos ensinou Borges com seu Pierre Menard – o personagem talvez fictício que reescreveu o Quixote linha por linha e assim compôs um novo livro inteiramente diferente –, se algo nos ensinou Borges, é que os retornos são impossíveis, que a escrita do mesmo sempre cria um outro, um resultado novo, um novo fim, antes inadvertido.[5] Se o romance parece abdicar de tantos atributos que adquiriu ao longo dos séculos, se parece querer retornar ao ponto zero de sua gênese, talvez seja pela necessidade de rever seu próprio corpo num espelho e de rejeitar o que ali enxerga envelhecido. Talvez seja porque a ficção, a invenção, a fantasia, a fabulação, tenha isso o nome que tiver, isso que foram as suas melhores vestes, isso se lhe mostrou insuficiente, disso

---

5 BORGES, 1939, p. 47-65.

ele se vê despido. Se o romance se priva hoje do que lhe foi característico por tanto tempo, talvez não seja por um gesto sacrificial contrário a si mesmo, a abolição terminante da invenção, mas por uma necessidade de reinventar-se como gênero. Nessa perspectiva, não estaríamos diante de uma nova crise, portanto: estaríamos diante de uma nova possibilidade, ainda que estranha e controversa, de reascensão.

Muitas ideias se apressam nestas linhas, peço perdão. Decerto convém fazer uma análise mais calma e criteriosa de tais fenômenos imprevisíveis, uma análise também mais calma e criteriosa do que a que poderei fazer nas linhas por vir. Aqui, afinal, só ofereço breves notas sobre dois ficcionistas que já vão constituindo, precocemente, um pequeno cânone do romance pós-ficcional.

O CASO SEBALD

Foi o silêncio o que marcou a infância do pequeno W. G. Sebald, nascido em 1944, em plena Alemanha devastada. O silêncio, naquele tempo, parecia ocupar toda a sua existência. Conta um Sebald crescido, ter vivenciado durante muito tempo a sensação de que algo lhe era escondido, em casa, na escola ou mesmo nos livros que devorava com a vã esperança de que revelassem um segredo há muito acobertado. Com os escritores alemães, logo percebeu, não poderia contar. Aquilo que ele queria descobrir, algo sobre a tragédia que antecedera sua própria vida e que a delineava de tantas formas, aquilo que constituía em simultâneo o horror maior e a humilhação maior de seu país, aquilo que era a palavra fundamental sobre sua existência e a existência de seus conterrâneos, aquilo estava ausente de todas as páginas disponíveis nas muitas bibliotecas da cidade.

A reconstrução alemã, ele suporia, "impediu de antemão qualquer recordação do passado, direcionando a população, sem exceção, para o futuro e obrigando-a ao silêncio sobre aquilo que enfrentara". Era a um só tempo um deficit de memória e um deficit de linguagem. A experiência traumática parecia excluída de toda retrospectiva pessoal, como se um imenso contingente de pessoas tivesse perdido a capacidade psíquica de recordar, como se nada daquilo pudessem confessar sequer intimamente a si próprios, como se rendidos a uma máquina coletiva de recalque. E, em seus escassos relatos sobre as culpas e agruras do passado, despontava sempre "algo de descontínuo, uma qualidade peculiarmente errática" ou então um conjunto de expressões prontas cuja função era menos revelar do que escamotear qualquer fato contundente, como se a experiência real do horror e da desumanidade não devesse ser traduzida em palavras.[6]

A isso houve quem quisesse chamar de "o irrepresentável", sobretudo em referência ao holocausto, mas há algo de contraditório em tal subjetivação, porque o holocausto tem sido, desde seus nefastos tempos, por toda parte, uma das ocorrências mais exploradas em ficções livrescas e cinematográficas. A insuficiência que sentia Sebald talvez fosse de outra ordem. Aquelas muitas ficções retratando a barbárie, estrangeiras em sua maioria, não passavam nem perto de satisfazer sua busca imemorial por uma revelação inaudita. Traziam até algo de indecoroso: tomem cuidado os leitores, ele recomendou, com os ficcionistas que se valem de uma suposta neutralidade estética para descrever tais cenários de terror, "Paris ardendo em cha-

6 SEBALD, 2011, p. 17, 30.

mas, uma vista magnífica", "Frankfurt queimando, uma imagem horrenda e bela".[7]

A uma tal estetização, que roubaria da literatura sua legitimidade, o escritor que quisesse abordar tais acontecimentos deveria contrapor um mínimo de objetividade, num contexto em que "o ideal do verdadeiro se mostra como a única razão legítima para o prosseguimento da atividade literária".[8] Se queria, então, suplantar enfim o silêncio e construir algum retrato válido, deveria contrariar as tendências que o cercavam e abdicar de efeitos falsos, belas imagens, jogos de linguagem, seduções falaciosas. A partir desse instante a ficção estaria sempre sob suspeita, mas não aquela de que falavam alguns jovens franceses em décadas já passadas – Natalie Sarraute acusando a existência de uma "era da suspeita", uma grave indisposição entre personagens e leitores[9] – e sim uma suspeita de caráter ético. Em face de tais mentiras literárias, muito mais aceitável era o silêncio – a ignorância e o esquecimento eram ainda, afinal, direitos invioláveis. Contra tais mentiras da ficção, a literatura deveria se aferrar cada vez mais a um "estilo documental", em sua atenção cuidadosa a "um material incomensurável para a estética tradicional".[10]

Não será um excesso se eu associar aqui a ruína do território europeu à ruína do próprio romance. Se a crise do gênero, em seu momento mais agudo e mais comentado, guardava uma relação visceral com a crise do continente corroído pela guerra, é presumível que uma reascensão em ambos os

---

7 SEBALD, 2011, p. 115.
8 Id., ibid, p. 53.
9 SARRAUTE, 1956.
10 SEBALD, 2011, p. 57.

campos venha a guardar vínculos semelhantes. Um apego à memória e à verdade ajudaria os países a lidar com seus respectivos traumas, é o que Sebald parece defender. O mesmo apego, depreendemos, contribuiria muito no esforço do romance para lidar com seu próprio trauma, para fechar a ferida aberta em sua forma – a ferida que permanecia aberta desde a radical implosão do gênero, desde a aparente autodestruição performada pelas obras de Woolf, de Joyce, de Beckett, de outros tantos. Ante a insuficiência que se verifica na ficção nesse novo contexto, o real acode para devolver ao romance sua relevância. Um real transformado, porém não a velha tentativa de emular o mundo numa ficção convincente ou de aprimorá-lo em sua reinvenção fantasiosa, mas um real acessado de maneira direta, convocado a participar da ficção para que não a deixe incorrer em impertinência.

Romance e testemunho do mundo se fundem ou se confundem como poucas outras vezes. O romance se faz um gênero híbrido, se aproxima do ensaio, da reportagem, da autobiografia, do relato historiográfico, dessas outras formas que já lhe pertenciam, mas assemelhando-se a elas como em nenhum outro tempo. Nos romances de Sebald, pouco distinguíveis de seus ensaios, vemos a aparição do próprio Sebald, ou de um sujeito chamado Sebald, acometido quase sempre por uma vertigem ou um mal-estar, a vagar pelas ruas como quem vaga por pensamentos, a deixar que a narrativa vagueie consigo por seus mesmos limites incertos. Enquanto passeia aparentemente sem norte, o romancista tira fotos do que vê e as insere entre suas palavras, imagens insignificantes em sua maioria e que, no entanto, dão ao romance uma autenticidade quase sem precedentes, um profundo efeito de real – questionável, no limite, pois sabemos que o autor amiúde inventa contextos para tais imagens, forjando para elas uma gênese.

Em *Austerlitz* e em *Os emigrantes*, vemos de maneira mais certeira o romance a empregar tal procedimento para referir--se às muitas reverberações da guerra e ao trauma persistente. Aqui o romancista minimiza o espaço de seus próprios trajetos e passa o foco ou a palavra a outros sujeitos, vítimas silenciosas daqueles duros acontecimentos ou testemunhas distantes cujas lembranças já fraquejam. Quase tudo se consome em certa desolação, refletida também na melancolia das imagens que o autor acrescenta. Algum escrúpulo o impede de fazer um retrato cru daquelas ocorrências, as quais a narrativa parece cercar com alguma hesitação, desconfiando, como o narrador reconhece, de sua capacidade de fazer jus ao objeto e da assertividade possível a qualquer escrita.[11] Mesmo nos escritores mais diligentes, Sebald dirá mais tarde, ou sobretudo neles, recai a suspeita da inutilidade de todo esse processo, "a suspeita de que não somos capazes de aprender nada na desgraça".[12]

Entre o autor e o leitor, na experiência efetiva da obra, parece que se constrói um novo pacto, um pacto ambíguo em lugar do ficcional, ou se resgata ao pacto ficcional uma longínqua ambiguidade. É o retorno de uma confiança na fidedignidade do relato, talvez à maneira de Defoe, que, nos prefácios à saga de seu Robinson Crusoe, convence com eficácia os leitores de sua época a acreditar na veracidade de sua história. Mas aqui a confiança está internalizada na própria obra, sem a necessidade de alardeá-la em textos paralelos; aqui são as imagens,

---

11 SEBALD, 1992, p. 230.
12 Id., 2011, p. 64.

entre outros fatores, que desempenham esse poder persuasório. Numa trajetória inesperadamente cíclica, como antes comentado, o romance da reascensão retoma o gesto fundamental da ascensão do romance, embaralhando, aos olhos do leitor, as percepções de ficção e realidade. De forma curiosa, já não é a convicção com que o autor defende a veracidade do narrado o que confere ao romance sua legitimidade: agora tanto mais legítimo e veraz será o autor que desconfiar de si próprio.

Sebald seria, então, um paradigma importante para este escritor da contemporaneidade, a um só tempo uma influência forte sobre muitos autores e um exemplo emblemático da nova disposição literária. Como Sebald, por toda parte, uma série de romancistas tem cruzado com liberdade as fronteiras tortuosas entre ficção e realidade, entre ficção e memória, entre ficção e testemunho pessoal, fazendo proliferar amplamente o hibridismo das autoficções. Por toda parte, também, nas mais diversas sociedades, nos mais diversos regimes, um conjunto grande de escritores vem se incumbindo de promover uma reflexão sobre as repressões várias, as violências oficiais, as incontáveis formas de autoritarismo, os muitos traumas históricos. Por toda parte a literatura tem se ocupado de combater o deficit de memória e a sordidez da linguagem institucional, enfrentando, ainda que tardia e quiçá inutilmente, a máquina coletiva de recalque.

Max Ferber é um dos emigrantes cuja existência errática e melancólica Sebald explora em seu romance. Numa passagem não muito enfática, o autor se detém para descrever em detalhes algo do trabalho de Ferber, um artista plástico que executava suas obras num sistema bastante particular. Para criar seus retratos, Ferber aplicava uma grande quantidade de tinta sobre a tela e ia raspando o excesso, o tempo todo acometido pela suspeita de que o pó que se acumulava no chão, o pó que lhe era muito mais íntimo que a luz, o ar ou a água, o pó talvez representasse "o verdadeiro resultado de seus esforços continuados e a prova mais cabal de seu fracasso". Olhando a tela, porém, Sebald se surpreendia sempre ao ver "um retrato de grande vividez com as poucas linhas e sombras que haviam escapado à destruição" e se admirava ainda uma vez mais ao perceber que Ferber continuava a destruir a obra mesmo depois disso, nunca chegando à certeza de tê-la acabado enfim.[13]

O que eu me pergunto, ao ler essas páginas, é se Sebald e tantos ficcionistas da era da pós-ficção não estarão escrevendo hoje como Ferber pintava, valendo-se somente das sobras e do pó, de tudo o que ainda lhes seja íntimo, dos resquícios indigentes que o real lhes concede para que possam compor uma ficção vívida, uma ficção que ainda guarde algum valor, alguma urgência. E me pergunto também se não será esse o movimento do romance de maneira geral, se o romance se constrói hoje com as sobras de sua própria destruição e se o que se cria a partir das sobras só se cria para que seja destruído depois.

O CASO COETZEE

Há alguma estranheza, não se pode negar, na forma que o romance assume quando se faz o receptáculo dessas sobras, há alguma estranheza no romance que não se desfaz de sua trajetória de crises, que não se desvencilha de seu histórico de colapsos. Esse romance traz em seu corpo as muitas marcas das

---

13 SEBALD, 1992, p. 163-4.

convulsões passadas, e é inevitável que isso resulte em obras por vezes angulosas, insólitas, obras que parecem se perder em alguma excentricidade. Leitores do passado, de um tempo de romances mais regrados, decerto teriam dificuldade em entender por que alguns livros se fizeram tão incomuns, tão diferentes das narrativas costumeiras. Um hipotético leitor do futuro talvez se surpreenda da mesma maneira: é possível que venham a lhe parecer arbitrários e exóticos muitos dos romances que têm composto um cânone do presente.

Falamos de exceções, é claro, durante todo este texto estamos falando de exceções; embora numerosas, estamos falando de livros que não participam da recente retomada dos velhos sistemas de representação, a retomada dos métodos do chamado romance convencional, a recuperação de um modelo que nunca chegou a existir ou a vigorar de fato. Para estes livros excepcionais, as diretrizes principais de tal modelo inexistente já não seriam atingíveis: eles nunca seriam capazes de reproduzir aquela ordem e transparência, seus muitos fragmentos nunca chegariam a constituir um todo coeso, suas obscuridades turvariam sempre qualquer sentido mais límpido e direto.[14] Acompanho nessas linhas algo da definição que o sul-africano J. M. Coetzee deu para os clássicos, uma definição que parece ecoar aquela primeira declaração de Saer. Para Coetzee, outros, eles, antes, sabiam:

> Houve um tempo em que sabíamos. Costumávamos acreditar que quando um texto dizia "Havia um copo d'água sobre a mesa", havia de fato uma mesa com um copo d'água sobre ela, e bastava olharmos para o espelho-palavra do texto para

14 COETZEE, 2002, p. 10.

vê-los. Mas isso tudo terminou. O espelho-palavra se quebrou, irreparavelmente ao que parece. [...] As palavras na página não mais se levantarão nem serão levadas em conta, cada uma proclamando "Significo o que significo!".[15]

Essas palavras – que talvez enunciem uma ruptura permanente, o fim da ficção tal como a concebemos durante muito tempo – foram alinhavadas por Coetzee, mas não podem ser atribuídas a ele. Quem as disse foi uma personagem sua, Elizabeth Costello, romancista como ele, uma figura em que muitos querem identificar seu alter ego, mas o rigor me impede de afirmar algo assim. Se aqui cito a opinião de Costello, é para destacar a complexidade que as questões teóricas adquirem nestes tempos, a ambivalência do narrador autoficcional que nunca chega a ser de fato confiável, a dubiedade de suas ponderações estéticas quando concebidas nesse contexto. Houve um tempo em que podíamos afirmar. Hoje, se seguimos Costello, nem sequer podemos acreditar com muita força no ato de acreditar.[16] Hoje, as declarações assertivas estão em xeque, são instáveis e imprecisas, sujeitas às suas contingências, indiscerníveis de suas circunstâncias. Hoje e talvez sempre.

Elizabeth Costello é um livro estranho: o que lemos não é propriamente a vida de sua protagonista, ou os movimentos de sua consciência, mas um conjunto de reflexões sobre oito temas, argumentações que ela desenvolve em palestras ou jantares. Nesse livro estranho, semelhante a poucos outros de Coetzee, ficção e real estão mesclados mais uma vez, o ensaio contamina o romance e se deixa contaminar por ele a todo momento. É nos

---

15 COETZEE, 2004, p. 26.
16 Id., 2004, p. 46.

domínios da incerteza, assim, que o autor ou sua personagem se apresentam, discutem suas identidades agora mais inconsistentes e expõem suas ideias sobre um inevitável falseamento, por muito que o autor queira se ater ao verdadeiro:

> Essa é a situação em que apareço diante de vocês. [...] Acreditamos que houve um tempo em que podíamos dizer quem éramos. Agora, somos apenas atores recitando nossos papéis. O fundo caiu. Poderíamos considerar trágico esse evento, não fosse pelo fato de ser difícil respeitar um fundo que cai, seja ele qual for – isso agora nos parece uma ilusão, uma dessas ilusões sustentadas apenas pelo olhar concentrado de todos da sala. Removam seu olhar apenas um instante, e o espelho cai ao chão e se parte.[17]

O mesmo procedimento que devia dar ao romance a ilusão da verdade, o hibridismo de sua forma a romper a impertinência da ficção, constrói aqui o efeito contrário. A dúvida, que, como vimos, deveria ser um elemento essencial de sua confiabilidade, alcança tal magnitude que se faz soberana: por força de muito duvidar de si e de sua busca pela verdade, o autor acaba por incidir na percepção de uma falsidade irremediável, na certeza renovada da impossibilidade de apreensão do real, no cinismo de insistir em simulá-lo. No hibridismo de algumas autoficções, então, a dimensão ficcional não perde seu espaço, é possível até que o tenha inflado. Se outros romances deste tempo, os que se querem convencionais, não passam de cópias de um original ausente – não passam, portanto, de simulacros –, um mal semelhante acaba por se processar também em seus antípodas. São simulacros os livros estranhos,

---

17 COETZEE, 2004, p. 26-7.

são simulacros tais autoficções, porque a realidade que querem acessar é sabidamente inacessível, porque o mundo que querem refletir é um mundo ausente.

Coetzee parece transitar entre ambos os regimes, se é que eles se mantêm tão diferentes assim. Enquanto as duas primeiras partes de sua trilogia autobiográfica, *Infância* e *Juventude*, traziam o narrador mais tradicional dos tais romances realistas, na terceira parte, *Verão*, é a outro recurso que ele apela. Inventa um biógrafo interessado em recompor a trajetória de um falecido John Coetzee e, por meio de entrevistas, traz à tona cinco depoimentos sobre o escritor sul-africano, cinco testemunhos sobre certo período de sua vida. Se a autobiografia já chegara a ser um modo de vasculhar uma identidade própria, de interrogar em palavras o sentido de sua existência, aqui ela confessa e alardeia seu caráter fictício. Coetzee inverte a equação costumeira: já não é o escritor quem inventa personagens que representem a si ou a outros sujeitos, já não é o próprio a se projetar no alheio; agora é o outro quem toma a palavra para falar dele. A alteridade é convocada para que ele fale de si, mas nesse gesto se explicita o artifício patente, perde-se qualquer ilusão da realidade quando é o escritor quem cria a voz do outro que o descreve.

Trata-se, aqui, de uma questão de autoridade. No romance, diz Coetzee, a voz que fala a primeira frase, depois a segunda, a voz que chamamos de narrador, não tem de partida competência nenhuma, aprovação nenhuma: "A autoridade tem de ser conquistada; sobre o romancista pesa o ônus de construir, do nada, essa autoridade".[18] Os grandes autores de outro tempo

---

18 COETZEE, 2008, p. 163.

seriam mestres na constituição desse efeito ilusório, por isso ainda enxergamos em seus textos uma perfeição que não está lá, alguma ordem e transparência, uma coesão e uma limpidez que não passam de miragens ou de quimeras. Coetzee não o diz, mas, ao autor contemporâneo, ao ficcionista da era da não ficção, talvez caiba um gesto diferente: ele reconquista a atenção que se perdeu, constrói a duras penas sua autoridade, apenas para revogá-la na página seguinte, sendo esse o movimento destrutivo que lhe resta.

O movimento é cíclico, portanto; o romance reconquista seu teor de verdade, e ato seguinte o põe em xeque, ato seguinte volta a denunciar seu próprio caráter de artifício, sua ficcionalidade patente. Nessas circunvoluções do romance sobre seus próprios sentidos, parece se mostrar a maior novidade do gênero: essa ruptura dialética com a ficção pode ser hoje sua linha de frente mais movediça, o campo que têm explorado os romances de vanguarda ainda possíveis. Nessas idas e vindas, não seria impossível dizer, o gênero avança, e assim seu movimento não seria propriamente cíclico, e sim em espiral, uma espiral ainda capaz de provocar alguma vertigem.

São complexas as relações entre presente e passado evidentemente. Compreender o passado é compreendê-lo como "uma força de conformação sobre o presente"[19], Coetzee define, uma força que comprime muito mais do que liberta, deduzimos, mas uma força que nunca chegamos a entender em sua plenitude, porque está mais em nós do que nos abstratos dias pretéritos. O ficcionista da era da pós-ficção talvez se sinta incapaz de criar sua ficção própria porque se vê cercado

---

19 Tradução livre do autor. COETZEE, 2002, p. 15.

de ficções por toda parte. "O passado também é uma ficção. O passado é história, e o que é a história senão um relato feito de ar que contamos a nós mesmos?"[20] O passado é uma ficção como o presente é uma ficção, como todos os imperativos éticos e estéticos que aqui se exprimem são ficções, como é ficção a história do romance como gênero, como é ficção a própria concepção de uma era em que a ficção seria impossível, a era da pós-ficção.

FICÇÃO, CONCEITO ABERTO

O que aqui se propõe, portanto, ou o que propõem esses muitos ficcionistas da era da pós-ficção, não é um abandono absoluto da ficção, mas uma transformação fundamental em seu conceito. A própria noção de realidade está em questão, e já há muito tempo: "eu me pergunto o que é a realidade, e quem são os juízes da realidade?", Virginia Woolf indagou-se há quase um século.[21] O próprio Saer dedicou umas quantas páginas a tal reflexão, propondo uma nova percepção da ficção que não a contemplasse como oposta à verdade, e sim a serviço da complexidade: "não se escrevem ficções para eludir, por imaturidade ou irresponsabilidade, os rigores que o tratamento da 'verdade' exige, e sim justamente para pôr em evidência o caráter complexo da situação"; "nem o falso nem o verdadeiro são opostos que se excluem, e sim conceitos problemáticos que encarnam a própria razão de ser da ficção".[22]

De maneira cíclica, então, e coletivamente, retornaríamos a uma noção de ficção já postulada em outro tempo, uma noção

---

20 COETZEE, 2004, p. 45.
21 Tradução livre do autor. WOOLF, 2009, p. 36.
22 SAER, 1989, p. 11.

nova inevitavelmente. James Wood cita Henry James que cita Flaubert para falar da ficção como a forma que o romancista cria para enfrentar a infinitude do mundo, um círculo que o ficcionista desenha para restringir a vastidão do real. A ficção seria uma parte do real, sua circunscrição em espaço reduzido, e só assim, metonimicamente, se poderia conceber algum princípio de representação. Só abolindo, então, a ficção realista, esta sim em efetiva crise, só nos desfazendo da ficção tão conhecida em sua infinidade de convenções, só escrevendo ficções numa era da pós-ficção, algum resquício de realidade o ficcionista poderia alcançar por fim.

REFERÊNCIAS

BORGES, Jorge Luis. *Ficciones*. Buenos Aires: Emecé, 1956.

COETZEE, J. M. *Diário de um ano ruim*. Trad. José Rubens Siqueira. São Paulo: Companhia das Letras, 2008.

_____. *Elizabeth Costello*. Trad. José Rubens Siqueira. São Paulo: Companhia das Letras, 2004.

_____. What is a classic. *Stranger shores:* essays (1986-1999). Londres: Vintage, 2002.

SAER, Juan José. *Cuentos completos*. Buenos Aires: Seix Barral, 2001.

_____. *El concepto de ficción*. Buenos Aires: Seix Barral, 1997.

SARLO, Beatriz. Encerrar el yo en una lata. *El País*, 5 set. 2017. Disponível em: <https://elpais.com/cultura/2017/08/28/babelia/1503928864 _171902.html>.

SARRAUTE, Nathalie. *L'ère du soupçon*. Essais sur le roman. Paris: Gallimard, 1956.

SEBALD, W. G. *Austerlitz*. Trad. José Marcos Macedo. São Paulo: Companhia das Letras, 2008.

_____. *Guerra aérea e literatura*. Trad. Carlos Abbenseth e Frederico Figueiredo. São Paulo: Companhia das Letras, 2011.

_____. *Os emigrantes*. Trad. José Marcos Macedo. São Paulo: Companhia das Letras, 2009.

TOLSTÓI, Liev. *Os últimos dias*. São Paulo: Penguin/Companhia das Letras, 2011.

WOOD, James. *James Wood:* veo una crisis en la ficción contemporánea. Entrevista a Eduardo Lago, *El País*, 1 set. 2017. Disponível em: <https://elpais.com/cultura/2017/08/22/bablia/1503398895_451276.html>.

WOOLF, Virginia. Modern fiction. *Selected essays*. Oxford: Oxford University Press, 2009.

PÓS-VERDADE, PÓS-ÉTICA: UMA REFLEXÃO SOBRE DELÍRIOS, ATOS DIGITAIS E INVEJA

Marcia Tiburi

PÓS-

Podemos dizer muitas coisas contestáveis sobre nossa época, mas uma coisa é certa, dentre suas características principais, está essa proliferação de fenômenos articulados em torno do prefixo "pós-". Desde a invenção desse prefixo – que o pós-moderno, na moda por muito tempo, ajudou a fixar –, não cessam de aparecer eventos e situações que sugerem uma ultrapassagem, até mesmo o abandono de um espaço-tempo, com a criação de um outro, de uma nova experiência, que em tudo parece ter desmontado o que nos era dado como conhecido.

Talvez o fenômeno seja mais palpável do que sou capaz de perceber. A impressão que tenho é que poderíamos continuar com Marx, tendo em vista que "tudo o que é sólido desmancha no ar" ainda nos diz alguma coisa. Mas muita gente já saiu do plano aéreo e foi parar no plano aquático. É a metáfora da "sociedade líquida" de Bauman que parece interpretar melhor a nossa época. Não é à toa que o sociólogo tenha se tornado um dos seus mais populares exegetas. Mesmo quem não o leu é capaz de citá-lo como tendo encontrado uma grande explicação verdadeira sobre todas as questões sociais. Aliás, a tese da "sociedade líquida" que anda na boca do povo talvez seja a prova dessa liquidez sustentada na adoração de teses explicativas do mundo e da sociedade. Escorrem ideias prontas condensadas nas telas de televisão, e Heráclito já era. Nos banhamos nas mesmas águas de um mesmo rio que carrega nossos corpos e mentes para o oceano do nada. No fim, águas paradas.

Infelizmente eu mesma não li Zygmunt Bauman e não poderia me situar senão entre os que o citam para fazer gênero. Para escapar disso, coloco a "citação de Bauman" que vejo por todo lado como "modelo espiritual" de uma época, para não dizer "prótese conceitual". Talvez Freud, em outros tempos, talvez Deleuze tenham feito o mesmo papel. Isso apenas para citar alguns pensadores bem famosos.

Essas citações de época, esses pensadores hipercitados no contexto do impacto publicitário das ideias expostas no mercado intelectual, representam um fenômeno que vem nos mostrar algo importantíssimo acerca da cultura: o gosto pelas verdades. Gostamos de verdades, venham elas das ciências naturais, venham das ciências humanas. Verdades são certezas reconhecíveis, referem-se a algo que podemos reter mesmo sem compreender. Toda verdade sustenta. É como alimento. Há verdades para classes sociais e culturais, há verdades religiosas.

A verdade que possa provir de uma fonte como Deus é deixada aos econômica e culturalmente mais pobres, enquanto é manipulada pelos que detêm os meios de produção do discurso religioso. O mesmo vale se colocarmos o capital no lugar de Deus. Ora, Deus é um nome para uma ideia que vale como verdade. Capital é o que vale. O que vale pode ser transformado em mercadoria. Uma ideia sempre vale muito, pode sempre salvar a pátria do vazio de pensamento onde estamos afundados ou produzir mais e mais vazio quando se oferece como resposta pronta, como uma mercadoria bem embalada que o consumidor não deve ter a oportunidade de escolher antes de comprar.

NO MERCADO DAS VERDADES

Nesse contexto, intelectuais de todo tipo se tornam autoridades necessárias como aqueles que nos dão a verdade ou nos vendem a verdade. Conforme a classe cultural, eles podem vir a substituir o papel que pastores fazem entre massas despreocupadas com coisas tais como argumentos, pesquisas e erudição. Os próprios intelectuais são, como classe, um efeito de classe e de poder. Pensem no adjetivo de-todo-tipo que usei acima. Independentemente de onde trabalhem, televisão, jornal ou universidade, os intelectuais são aqueles que organizam o que podemos ou não definir como verdade. Eles são os donos das ideias, assim como há os donos do poder.

De fato, me parece que aqueles que se ocupam com o trabalho intelectual podem mesmo se tornar sacerdotes da verdade e, nesse sentido, podemos compará-los a pastores – que são sacerdotes *de* verdade. Já aqueles que ocupam a posição de pastores (lembremos dos neofundamentalistas que, muitas vezes, ocupam cargos políticos), mesmo sem terem familiaridade com o campo da fundamentação teórica e da investigação científica, colocam-se também como vozes a pregar não apenas uma crença, mas uma mentalidade. Formam, de um modo ou de outro, o sistema do pensamento de nosso tempo. Os reais agentes críticos acabam despotencializados em frentes diversas. Isso porque tornou-se regra a mistificação das massas no momento em que a crítica tornou-se uma veleidade particular sem função social. Aquele que desagradar as massas, que não participar da indústria da adulação que as mantém coesas, certamente não ocupará um posto de poder no cenário das ideias espetacularizadas. A verdade é um poder. Freud já havia antecipado o problema ao falar da "verdade" presente em um delírio. Não poderemos escapar do poder-saber como percebeu Foucault.

Nenhum enunciado produzido no campo do poder-saber deve ir além de limites muito bem desenhados. A verdade é o palatável. E o palatável é o suportável. A verdade depende, de algum modo, de nosso gosto. Talvez por isso muitos estejam fissurados naquela metáfora da sociedade líquida, que serve quase como um slogan hoje em dia, assim como um dia o poder explicativo do "penso, logo existo" também encantou muita gente. Talvez tenha sido sempre dessa maneira, o que chamamos de senso comum depende de verdades autorizadas por ele mesmo para organizar-se em discurso e manter as coisas no lugar onde já estão. Verdades suportáveis. Verdades digeríveis conservam o mundo nas águas paradas sobre as quais o caixão de Heráclito (ou do Caçador Graco de Kafka) viaja sem função alguma. A verdade é o que nos interessa no grande sistema do poder no qual procuramos um lugarzinho – ou não é a verdade.

Menos para contribuir com o grande mural epistemológico do significante "pós" com que comecei a minha meditação do que para provocar uma reflexão muito livre sobre hábitos mentais, vou sugerir que chamemos esse tempo-espaço em que compramos e vendemos ideias e conceitos de mercado da "pós-episteme". Nesse mercado já não importa a verdade ou qualquer coisa que tenha a ver com a ideia de uma busca pelo impossível, pelo intangível e pelo mais além. Importam ideias e conceitos a funcionar como próteses cognitivas. Ideias úteis, boas, bonitas e baratas como qualquer mercadoria. Cada vez mais afundados na literalidade, as pessoas assumem imaginários impessoais produzidos industrialmente. Cada um pode buscar material abstrato conforme seu poder de compra: em livros, filmes e programas de youtube ou em igrejas e novelas de televisão. O trabalho intelectual está bem dividido, ideias para pobres e para ricos conforme necessidades ideológicas. Intelectuais que conseguem apresentar os conceitos mais palatáveis ou mais redentores são os que fazem mais sucesso no mercado onde as ideias viram mercadorias do mesmo modo que um pastor em uma igreja vende o seu peixe e ganha o seu dízimo.

DELÍRIO

Não importa o conteúdo do que era conhecido. Fato é que lidávamos com algo que entendíamos como sendo conhecido. E esse conhecido tinha algo de certo. O que chamo de "certo" tem relação com algo de substancial, algo imutável, confiável, seguro. Durante muito tempo essa ideia fez muito sucesso. Depois, a ideia de que algo não era conhecido, inclusive era inacessível, o inconsciente, também fez muito sucesso. Como Deus, o inconsciente pegou muito bem, porque mantinha a ideia de um mistério puro, de um inacessível dentro de nós que tornava a nossa consciência bem pequena e, portanto, menos responsável por todas as nossas misérias.

Para alguns, até hoje questionar é o ato mais importante contra um conjunto de signos substanciais. Deus, Arte, Conhecimento, Justiça, Direito, Homem, Mulher, Brasil, África, Negro, Raça, Índio, Europa, Branco são nomes que indicam o caráter "substancial" que desenvolvemos com as coisas às quais esses signos se referem. Ao mesmo tempo, são esses signos que asseguram esse caráter substancial. Escritos com letras maiúsculas, esconde-se a face alucinada e delirante dessas palavras. Achille Mbembe foi quem percebeu que Raça e Negro são formas de um delírio produzido pelo capitalismo.[1] No contexto da loucura codificada, podemos pensar em vários outros.

A verdadeira mania – tendo em vista que mania é um termo antigo para definir a loucura – de tratar cada um desses signos como verdades incontestáveis, em torno das quais se organizam mundos, precisa ser questionada. Agora, quando tudo parece desmoronado, mas não exatamente no chão, temos a chance de ver esses termos, esses signos, carregados de algo delirante. A maior parte das pessoas ainda se ilude com eles, porque pensar, em um sentido genérico, é produzir imagens que nem sempre diferem de ilusões.

Gostaria de perguntar, autorizada pelo termo pós-verdade que se coloca para nós todos nesse momento, se não é um delírio o que nos constitui quando já não podemos contar com a verdade, embora estejamos vivendo em um "regime da verdade", conforme nos coloca Foucault em suas aulas sobre a hermenêutica do sujeito[2], um regime de administração e manipulação da verdade. E se, levando Freud a sério quanto à existência de um grão de verdade no delírio[3], podemos encontrar esse grão, isolá-lo e observá-lo com cuidado. O que seria esse grão? Essa verdade, da qual fala Freud, seria aquilo que o delírio usa como um recurso para instaurar-se ou o ponto

---

1 MBEMBE, Achille. *Crítica da razão negra*. Lisboa: Antígona, 2014.
2 FOUCAULT, Michel. *Hermenêutica do sujeito*. São Paulo: Martins Fontes, 2010.
3 FREUD, Sigmund. *Sonhos e delírios na Gradiva de Jensen*. Rio de Janeiro: Imago, 1997.

de sua real autocontradição, aquilo que, no delírio, digamos assim, não delira? Aquele elemento a partir do qual podemos desmontar o delírio ou o ponto a partir do qual ele se fortalece e até mesmo se torna incontornável? Além disso, não é possível não questionar: se todo delírio tem, bem em seu fundo, uma verdade, teria a verdade, em seu fundo, algo de delírio?

Creio que a coisa é ainda mais complicada. Pois que o delírio esconde uma verdade, se ela está nele escondida, ele a envolve, se ela está nele oculta, ele a disfarça, o delírio a protege. Qual o interesse do delírio na verdade? Ao que serve o delírio? E a verdade, ela depende do delírio? Se a verdade está tão longe e tão difícil de articular, é que ela não pertence mais a esse mundo. Mas teria pertencido algum dia? Ou, se ela está em algum lugar do mundo, então, ao seu redor, só haveria delírio? Me parece interessante propor que pensemos na seguinte hipótese: se há delírio, há verdade, mas também que, se há verdade, há delírio; e nesse sentido não teríamos a obrigação de aprender a separá-los? Mas isso seria possível?

Chamo delírio à ordem na qual vivemos sustentados enquanto essa ordem, por si só, não nos oferece nenhuma chance de nos livrarmos da ilusão. Entre delírio e ordem, surge o sistema. Econômico e político, religioso e patriarcal, o sistema é a forma especializada da ordem como delírio. O capitalismo, que em tudo parece ser um grande programa, é, neste momento, o dispositivo histórico do delírio, e, para falar em termos que podem soar enervantes para o leitor, um programa de enlouquecimento. No sistema da loucura administrada, de uma loucura programada, o papel da crítica é a de produzir um desajuste totalmente outro. Não é possível fazer a decodificação desse sistema agradando a ninguém.

LIMBO

As condições geográficas e históricas que levam à construção do termo "pós" na ordem discursiva, esse termo que é, ele mesmo, um fenômeno, merecem análise. Trata-se de uma criação conceitual para dar conta de uma experiência angustiante na prática concreta. O que quer que fosse tido como certo, pelo menos aquilo que tínhamos nos acostumado a ter como certeza, aquilo que se apresentava como verdadeiro, parece ter desmoronado.

O prefixo "pós-", por mais que sirva de parâmetro de interpretação, e seja usado por muitos até mesmo como explicação da realidade, promete a explicação que nos livra da angústia. Me parece produtivo, na tentativa de pensar essas questões, assumir o limbo enquanto expressão, lugar no qual não se vislumbra nenhum futuro. Parar no limbo e evitar a moral explicativa. É nesse limbo que eu gostaria de me fixar buscando o lugar para uma reflexão necessariamente temporária, um experimento teórico que nos faça pensar juntos – a autora deste texto e seus leitores. O uso do termo *pós-verdade*, pelo menos por um tempo, pode nos levar a olhar de perto para a nossa perdição.

Aonde pode nos levar a expressão pós-verdade? Podemos usar as expressões pós-racial, pós-feminista, pós-sexual, pós-gênero, pós-capitalismo. Há quem discuta hoje a pós-democracia[4] enquanto muitos insistem no pós-moderno. Talvez possamos, nessa linha e por isso mesmo, falar de uma pós-moral, ou mesmo de uma pós-ética, como pretendo, muito livremente, de uma maneira experimental, colocar em jogo.

Essa pós-ética, ou pós-moral, talvez nos permita com-

---

4 CASARA, Rubens. *Estado pós-democrático*: neo-obscurantismo e gestão dos indesejáveis. Rio de Janeiro: Civilização Brasileira, 2017.

preender uma espécie de retorno inconsciente à estética típico de nossa época. Tendemos a compreender o "estético" como o imediato, mas sabemos que o imediato é construído e apreendido por meio de mil mediações. Nessa linha, quando percebemos as coações vividas pela crítica, entendemos que a esfera da estética, das sensações e percepções corporais mais primitivas e imediatas, é estrategicamente controlada. Não seria errado chamar de pós-estética a reflexão que não supera seu próprio inconsciente. E que, nesse patamar, se enreda sempre cada vez mais no poder que a controla e ao qual ela serve. A estética é a esfera onde o poder garante a si mesmo o lugar onde ele se conserva materialmente.

Proponho que pensemos a partir desse "pós-" límbico, que coloquemos a questão do pós-real, do pós-pensamento, nesse tempo em que a própria linguagem que tudo permitia se esfarela agora e dá lugar a algo como um "pós-humano". Que um experimento reflexivo tenha a chance de nos ajudar a pensar no novo desenho da experiência humana depois que ela aprendeu a pensar seu próprio fim.

Essa pós-época, esse pós-tempo, esse pós-mundo pós-apocalíptico para os mais otimistas, um mundo pós-pessimista, nos induzem à experiência de algo totalmente outro. No desamparo geral em que vivemos, dispersos, distraídos, deprimidos, parece que habitamos o fim do mundo. Mas e quem ainda pensa? Que mundo habita esse ser que ainda pensa e sabe que não há nada de real demais no que vivemos? Como vive, o que pensa, como trabalha aquele que vive sob o signo da alucinação consciente? Ora, aquilo que chamamos de realidade, afinal, não tem a estrutura de um delírio? Não estamos vivendo no contexto de uma grande alucinação coletiva?

No meio disso tudo, o saber tem um agente, o sujeito que não é necessariamente aquele que chega à verdade. O sujeito é muito mais hoje o assujeitado – que permanece como o sub-jectum – a uma ordem. A ordem que pensa apenas nela mesma. O sujeito trabalha para ela, ele põe o seu discurso em pé, ele organiza a prática como funcionário modelo da ordem. Ao mesmo tempo, é como sujeito que se pode fazer a experiência da desobediência. Nesse momento, o sujeito deixa de ser o assujeitado para ser dono de si.

O que se mantém da condição humana até agora conhecida como a da descoberta/invenção do sujeito? Não estamos vivendo a época em que a própria subjetividade foi ultrapassada em nome de esvaziamentos subjetivos que só podem ser modificados a partir da sustentação da singularidade como um acontecimento no tempo e no espaço, como performance? O ser como uma sequência de atos como nos coloca Simone de Beauvoir? O que ainda podemos dizer acerca de nós mesmos e do que fizemos com nossas vidas tendo em vista os cenários alucinados em que nos colocamos ou nos quais somos enredados?

VERDADES

Tudo o que dizemos é na intenção da verdade e, quando retiramos a verdade da cena, entra em jogo a mentira, que se opõe à verdade, ou a ilusão, que não é exatamente uma mentira, mas a substitui tranquilamente, fazendo-se passar por verdade, e também aquela forma de mentira que nunca se pensou em se colocar como verdade: a ficção. Podemos, nesse sentido, falar da verdade como um campo, um espectro que tem do outro lado mais um espectro, o da falsidade. No meio do espelho, somos um fiapo desejando a realidade.

Ao espectro da verdade pertence o termo pós-verdade. Conceito que coloca em questão o fim da verdade como um valor maior. Se não seu fim, pelo menos está em jogo a sua inutilidade. Com a ideia de pós-verdade, trata-se de falar de uma verdade útil. Da verdade consumível e consumida. A verdade possível quando a forma mercadoria dita que ela mesma é a verdade.

A possibilidade de uma verdade em caixa alta, capaz de nos explicar o desconhecido, não vem mais ao caso. Contentamo-nos com pouco. E esse pouco é a pós-verdade. A verdade que podemos aceitar. A verdade que cola, a que vemos circular, a que podemos produzir publicitariamente, a que alimenta a mídia. A verdade que conseguimos alcançar quando, em um regime antigo, a verdade era aquilo que esperávamos conseguir.

As peripécias e as vicissitudes da verdade como um regime discursivo é coisa que interessará a filósofos, esses seres estranhos com mania de perguntar sobre tudo. Os filósofos insistirão na verdade, porque, pensando do ponto de vista do capitalismo, se trata de uma reserva de mercado desde Sócrates. Certamente era mais que isso antes de surgir o cristianismo-capitalismo, mas o nosso ponto de vista neoliberal – esse princípio neoliberal do pensamento que vem devorando a chance do diálogo e da reflexão – já não dá espaço para o que não se integra à ordem dos valores, já que a medida do mundo é a da mercadoria e do seu valor de troca. O que pode se tornar mercadoria – fazer parte da ordem da produção ou consumo – tem lugar nesse mundo, caso contrário, nem sequer existe.

Sócrates é esse signo que tem muito pouco a ver conosco hoje. Esse amante da verdade, em nossa época, desapareceria na cafetinagem da verdade que é a publicidade como lógica que rege a produção imagética e discursiva. Lembremos que Nietzsche compara a verdade a uma mulher. É assim, aliás, tendo em vista algo que se ama e que se quer possuir, com uma espécie de promessa de casamento, que a filosofia toma conta do mundo grego, ao propor uma verdade maior do que a verdade conhecida, aquele arranjo entre sofistas, retóricos e sábios que faz parte de uma pré-verdade ou, pelo menos, da pré-história da verdade. A verdade, tal como a desenham os filósofos, não está aí, na ordem das coisas, ela é muito mais algo que se busca, que não se encontra apenas porque se a deseja, e que está, ao mesmo tempo, inscrita unicamente na ordem do desejo. A verdade dos filósofos obrigava a um salto. Seria uma verdade inalcançável pelos seres humanos, esses pobres coitados que vivem entre os deuses e os animais e que têm na figura dos filósofos o máximo de performatividade possível no que concerne à produção do cidadão.

Se sofistas agiam para produzir a verdade, se retóricos e políticos também trabalhavam na produção da verdade, esse capital universal, os filósofos chegaram para produzir confusão. Conseguiram colocar a verdade fora de muitas brigas, inventaram também aquilo que Bárbara Cassin chamou de efeito sofístico[5], esse poder que nasce da invenção do discurso verdadeiro. Desse ponto em diante, a filosofia não se separa exatamente da sofística, mas se confunde com ela.

Há muito tempo que se discute sobre as condições de invenção da verdade, aquilo que Foucault ao longo de sua vida chamou de episteme e que foi se desenvolvendo como uma espécie de estratégia, uma astúcia, que foi se estabelecendo como formas de "veridição", aquelas formações discursivas nas quais não é exatamente a verdade como um ideal que está em

---

5 CASSIN, Bárbara. *O efeito sofístico*. São Paulo: Editora 34, 2005.

jogo, mas um regime da verdade no qual a verdade como ideia e coisa, a um só tempo, é manipulada. O regime da verdade é o da produção da crença, do real, do que consideramos certo e seguro, substancial e ontológico, ou melhor, do que deve ser percebido desse modo. E que é produzido por meios específicos de produção da comunicação, da informação e do discurso com esse objetivo.

A verdade dos filósofos, assim como a felicidade dos filósofos, assumiu uma singular desimportância em nossas vidas contemporâneas aprisionadas entre otimismos e pessimismos, nos campos imaginários e simbólicos que estruturam o que entendemos e sentimos. Restam perguntas filosóficas tais como: o que significa buscar o conhecimento quando a verdade já não importa? Talvez porque a verdade já não esteja em voga, a informação seja mais importante do que o conhecimento. O que é o conhecimento? É outra pergunta que podemos nos colocar enquanto, ao mesmo tempo, nos perguntamos, o que é a verdade? Na história da filosofia mais tradicional, a verdade é o objeto de uma busca. Dos textos platônicos ao questionamento de Nietzsche, a verdade é objeto de desejo e de disputa. O diálogo poderia ser o método dessa busca, mas já não temos tempo para isso. A busca sempre foi mais importante do que o próprio objeto que ela significa, ela se referia a um processo por meio do qual as pessoas, os seres que se dizem humanos, eles mesmos, tinham a chance de construir a si mesmos, de definirem para si mesmos a sua própria formação, uma subjetividade autônoma. Era a época do cuidado de si que envolvia o conhecimento de si, a preocupação consigo. Aquilo que se transformou em Píndaro no imperativo do "torna-te quem tu és" e que levou Nietzsche a escrever uma autobiografia.

INVERDADE CONSENSUAL

A relação com a verdade se estabeleceu historicamente como uma relação com o conhecimento. Se a verdade era aquilo que orientava o conhecimento, a pós-verdade orientaria um pós-conhecimento? Ou a pós-verdade estaria mais para um descarte do conhecimento que explicaria a valorização da informação como forma em detrimento de uma preocupação com o conteúdo?

Se o que se chama hoje de pós-verdade constitui um regime de inverdade consensual, um acordo em torno da mentira, a hipocrisia elevada a paradigma, o que restaria para a ética como questionamento do que, no mundo concreto, seria não verdadeiro? Haveria sentido em um questionamento do não verdadeiro quando o não verdadeiro assumiu o lugar da verdade por consenso no momento em que já não nos questionamos mais?

Se usarmos pós-verdade no sentido de uma verdade consumível, transformada em mercadoria, estamos falando de uma coisificação da verdade. Se a verdade, na famosa tríade metafísica que unia belo-bom-verdadeiro, era uma interface da estética e da ética, o que lhe restou em nossos tempos? O que foi feito da verdade?

O que se chama de pós-verdade, no registro dessa espécie de pós-política, são a não verdade e a antipolítica. Poderíamos estabelecer uma era da inessencialidade, no sentido que Simone de Beauvoir deu ao ser "mulher". Inessenciais são os subalternos, os precários, os excluídos, os rejeitados e abandonados. Talvez hoje estejamos vivendo esse devir mulher do mundo como também estejamos vivendo um devir negro do mundo, como falou Achille Mbembe, devir por meio do qual somos marcados biopoliticamente pelo capitalismo para servirmos de escravos em todos os níveis.

É nesse registro, e a título de experimento, que passaremos a questionar o lugar da ética no tempo em que a pós-verdade representa um esfarelamento do que um dia foi essencial como a verdade. Um questionamento sobre aquilo que podemos chamar de "verdade digital" nos permitirá ver que vivemos um retorno no tempo em que, perdida a racionalidade, já não conseguimos perceber que "a vida é sonho" e que vivemos entregues a um delírio nascido justamente dessa incompreensão.

Gostaria agora de perguntar, sem maiores pretensões, se esse prefixo "pós-" colocado diante de tantas coisas, se ele pode nos livrar do delírio ou se nos levará a renovar nossa relação com ele.

PÓS-ÉTICA OU ÉTICA COMO ANACRONISMO

No contexto da pós-verdade, quando, ainda que provisoriamente, podemos denominar de pós-ética a um conjunto de desvalores tomados como valores, de pseudoações tratadas como o que há de mais importante a ser feito, quando a dessubjetivação generalizada toma o lugar da alma, é nesse contexto que a questão da ética soa anacrônica.

De tempos em tempos a palavra ética aparece e desaparece de nosso vocabulário, dos usos, do dia a dia, como se tivesse perdido sua substância. É mais uma dessas palavras espectrais que aparecem quando não deviam ter ficado ocultas. Nas épocas em que a política mais se esvazia, as discussões sobre ética, o questionamento ao qual essa ciência serve, fica de lado. Se a ética é o questionamento da moral, ela está em baixa, justamente porque a moral é o regime da veridição quanto ao que fazer, assim como o esteticamente correto é o regime da veridição no que concerne ao gosto e ao aparecer.

Em um texto chamado *Sobre a utilidade e a desvantagem da história para a vida*, uma das "considerações intempestivas", que se podem traduzir também por "anacrônicas", Nietzsche anuncia, já no prólogo, que a história tem sentido quando serve à vida, mas não quando se torna mero eruditismo, um modo de explicar o presente pelo passado. Nietzsche então afirma que a "cultura histórica" da qual todos se orgulham em sua época é, na verdade, um erro. Perceber esse erro que se expressa na forma de uma febre histórica causa-lhe um mal-estar que, no entanto, ele assume como método. É assim que Nietzsche fala do anacronismo de sua própria vida em relação à sua época. É neste sentido que, partindo de Nietzsche, podemos dizer que a ética é anacrônica em relação ao ethos, tomado como padrão de comportamento moral, tanto quanto é a vida em relação à história, tanto quanto a reflexão em relação ao pensamento pronto, essa discursividade industrial e mercadológica de nossos dias que nos torna a todos consumistas da linguagem produzida e reprodutível. Essa discursividade produzida sem alma, no tempo em que alma já desapareceu como uma preocupação humana, no contexto em que os meios de comunicação e as instituições produtoras de discursos cancelam tanto o cuidado de si quanto o encontro com o outro. Nem a singularidade, nem a alteridade devem ter lugar no contexto moralista de nossas vidas pós-verdadeiras.

A partir dessas considerações extemporâneas, da reflexão sobre o não lugar da ética, parece evidente que a era da pós-verdade é a época em que nenhuma ética é mais possível. Mas o extemporâneo da reflexão também nos chama a um outro lugar. A extemporaneidade implica pensar a partir de algo que não cabe mais. E é aí que a tarefa do pensamento reflexivo se coloca. Nietzsche e Foucault buscaram isso nos gregos. Procuramos onde podemos dentro dos limites de nossas vidas. Se há uma verdade no anacronismo, na intempestividade que o traduz, na desmedida do tempo a que ele se refere, está em produzir uma estranheza, um desconcerto. O sentimento de inadequação que aqueles que ainda preservam sua subjetividade experimentam é um sintoma feliz de que nem tudo está perdido.

Podemos falar em ética nesses tempos de cancelamento da alma? Em palavras talvez acadêmicas: nesses tempos em que as subjetividades são produzidas em massa, em que o sujeito reflexivo é tão raro que se sente inadequado, ainda é possível falar em ética? Que ética é ainda possível, ou seja, que reflexão sobre os hábitos, os atos, os gestos pode nos ajudar a viver melhor? Podemos recuperar o sentido da ciência da ética para além das grandes teorias e chegar a uma prática útil desse saber, no sentido de um saber prático, que nos ajuda a agir melhor em nossas vidas e construir uma sociedade melhor?

A reflexão sobre ética nos leva a pensar no elo que une subjetividade e política. A ética é gerativa da política tanto quanto a política é gerativa da ética. A questão está em compreender esse jogo de forças no tempo em que a linguagem, reduzida a capital, tornou-se um ato valioso e, ao mesmo tempo, vagabundo. A linguagem também é exercida hoje na base da forma mercadoria.

CONSUMISMO DA LINGUAGEM

Um dos traços da cultura atual é a proliferação dos textos. Nunca se escreveu e se leu tanto, ainda que o analfabetismo funcional e político continue crescendo e aparecendo. Ideias e opiniões configuram-se como narrativas em um universo de textualidades diversas. A pós-verdade transita entre textos verbais e imagéticos como uma produção publicitária, a verdade para ver, sem necessariamente ser verdade. A verdade que cola. Ela é uma categoria do tempo dos atos de fala quando descobrimos que falar é fazer alguma coisa, mas qual a qualidade do que fazemos ao falar? O que significa falar a verdade? Que consequências tem entre nós esse uso?

Falamos muito, dizemos pouco. Ainda devemos nos perguntar se falamos demais sem ter nada a dizer? Emitir informação tornou-se um hábito e até mesmo uma compulsão desde a invenção da internet e, mais ainda, das redes sociais, que se tornaram o lugar do que podemos chamar de verdade digital. O que chamamos de realidade virtual se sustenta na ideia de uma verdade digital. O dogma que une todos em torno de Facebooks, Twitters e Instagrans, redes sociais que mudam de tempos em tempos numa avalanche de tecnologias descartáveis, sustenta-se como verdade ou como o que é considerado verdadeiro porque foi dito e apenas por isso. As redes sociais são valorizadas como meios de produção de exposição da verdade, mas essa exposição já é a sua própria produção. Uma nova ontologia, necessariamente, está em jogo.

Por um lado, podemos imaginar um museu de gadgets, de aparelhos e bugigangas, ainda que não possamos imaginar um museu dos cabos, dos fios e fibras de vidro, cobre ou outros materiais nem sempre recicláveis usados na construção dos aparatos; por outro lado, na era virtual em que o digital está em jogo, ultrapassam-se as materialidades. Um novo tipo de lixo surge, o lixo digital. Esse lixo que não pode ser reciclável, sequer armazenável como coisa. O mundo agora é um acúmulo incatalogável de dados. As formas conhecidas da memória desaparecem na época em que o mundo se transforma em um grande arquivo. O arquivo é monstruoso e se move de lá para cá, entre ordem e desordem, mesmo quando esse movimento entre lugares não produz sentido. O mero movimento que transporta informação tornou-se uma regra de conduta. Não importa mais o conteúdo, apenas os meios. Não importa mais o assunto, mas o exercício da medialidade.

Dá para dizer que vivemos hoje nos excessos da linguagem, proliferando e replicando tudo o que nos aparece pela frente. Se, como dizia Wittgenstein, os limites do mundo são os limites da minha linguagem, então, acreditamos que, pela quantidade, nos tornamos grandes pessoas vivendo em mundos muito vastos ao colaborar com a transição de dados e mais dados nem sempre digeridos por nosso corpo-espírito.

Nem sempre há critérios na realização de nossos atuais atos de linguagem. Falamos muito e pensamos pouco no que dizemos. Por um lado, talvez estejamos pensando rápido demais, por outro, talvez estejamos confiando demais nos pensamentos prontos que vão nos servindo enquanto não encontramos coisa melhor. A textualidade de nossa época serve como um grande pano, uma tela infinita, onde uma colagem de enunciados organiza-se como um palimpsesto. Lá, nesse atlas que nos serve também de prótese de conhecimento, vamos copiar o que precisamos. Fazemos isso sem querer e nem sempre com critério. Um pensamento em copy-paste, como um "copia e cola", instaurou-se em nosso mundo. É o nosso procedimento mental básico quando estamos distraídos ajudando a construir consciente ou inconscientemente o senso comum. Nas redes sociais, ajudamos a sustentar esse senso por meio de um árduo trabalho que em tudo parece dócil. A labuta diante dos computadores envolve uma escravização sedutora. O trabalho digital nas redes não é remunerado, causa vícios e produz um tipo de devoto, uma espécie de escravo voluntário. O escravo digital.

Em meio aos emaranhados da linguagem nos quais nos enredamos, perdemos a chance de compreender por que pegamos a primeira explicação no mercado das ideias que nos aparece como que exposta em uma prateleira de ofertas. Seguimos deixando de lado a potencialidade de compreender. O que já está explicado nos serve bem.

No rol dos discursos prontos, encontramos o discurso fascista, aquele que parte do princípio da negação do outro e alcança a valorização de si por meio da diminuição do outro. É uma astúcia medíocre, uma pequena astúcia do cotidiano, que tem uma função prática, bem conhecida nas redes. A de capitalizar o sujeito pelo uso de uma verbalidade menos que barata, lavagem feita de restos que se dá aos porcos, para usar uma metáfora nada elegante. Esse discurso é hoje um padrão verbal marcado por clichês, um conjunto sistemático de ideias prontas e pré-conceitos, e é, ao mesmo tempo, uma espécie de argumento cênico, útil ao audiovisual e à cena verbal, por meio da qual se pode adquirir capital imagético na sociedade do espetáculo. Esse argumento baseia-se na mitificação do falante, porta-voz da verdade preconceituosa que, por meio de seu ato, chega ao alcance de todos. O fascismo produz mitos com essa intenção. A subjetividade autoritária, aquela que caracteriza o fascista em potencial, se expressa como violência. A violência é o caráter do discurso que ele emite. Ao mesmo tempo, essa violência é o fruto de uma intencionalidade esvaziada de pensamento reflexivo, o que faz com que a fala do sujeito fascista não tenha nenhum conteúdo cuja qualidade tenha sido a de ter passado por um crivo, do mesmo modo como é esvaziada de sentimentos elaborados e plena de emoções brutas, tais como o medo e o ódio, assim como, por fim, sua capacidade de ação é efeito de obediência a ordens cujo sentido ele é incapaz de questionar. O esvaziamento da subjetividade dá ao sujeito fascista uma profunda sensação de inexistência, o que o obriga a precisar aparecer para apresentar a prova de seu existir, algo que ele consegue por meio da penalização do outro ou por meio de seu reconhecimento deturpado, aquele que se conquista com a fama, mesmo que ela não passe de alguns likes no Facebook, o que corresponde aos quinze minutos de fama de Andy Warhol. Seu ato de fala é, ao mesmo tempo, uma performance com fins exteriores e interiores, por meio da qual ele se capitaliza diante dos outros enquanto tenta provar para si mesmo que existe.

O fascista procura algo que é da mesma ordem do cogito cartesiano: o penso, logo existo é, para ele, parcial, basta aparecer, enquanto esse estado substitui o existir. E mesmo que não se possa pensar ou justamente apesar de não se pensar. O fascista é a vítima da grande feira de vaidades do mercado espetacular, não o algoz nem o culpado. Como forma de subjetividade, o fascista é apenas um fruto de tempos pós-éticos e pós-políticos, se assim quisermos definir o estado de aniquilação do comum em que vivemos hoje.

Há uma capitalização da imagem ao mesmo tempo que uma prova objetiva de existência para aquele que não experimenta a si mesmo.

O ato de fala autoritário na sua forma fascista tem o poder mágico de garantir atenção, de garantir o olhar alheio. Quando o reconhecimento não é possível, sobrevive-se com um olhar qualquer, com a fantasia de que se é desejado. O fascista é um narcisista sem espelho.

A compulsão a dizer que gera desastres ético-políticos entre nós é efeito da linguagem transformada em isca. Poderíamos falar em objetificação da linguagem, mas a ideia de uma linguagem rebaixada a mercadoria é perfeita. É nesse sentido que podemos dizer que o preconceito é um tipo de injustiça que se expõe na linguagem, mas também se cria por meio dela. É nesse sentido que se pode dizer que falando estamos fazendo algo muito grave em termos simbólicos e concretos, estamos definindo um padrão discursivo por meio do qual a ideia de uma verdade se instaura.

A PÓS-AÇÃO NA ERA DO ATO DIGITAL

Se a ética é a teoria da ação, precisamos pensar no que ela se transformou sob novas condições tecnológicas. Quando o cotidiano se desdobra em cotidiano virtual, o campo da ação humana não é mais apenas um. Agimos corporalmente no mundo analógico, mas agimos digitalmente no universo virtual. Podemos usar a diferença entre mundo da ação e mundo da simulação. A ação seria viva, a simulação seria espectral.

O diário ato digital se instaura em nossas vidas como um ato mágico, capaz de resolver todos os problemas que possamos ter. O ato digital, aquele que nos faz confirmar presença em um evento para o qual nem sempre fomos convidados, e que nem sempre pede presença real, um evento organizado nas redes digitais, tornou-se O Ato em si mesmo. O mesmo que nos permite comprar com a rapidez de um "clique" sem que se tenha visto de perto o objeto a ser comprado. Esse ato foi moldado na programação do like. O ato digital é a nova forma de ato que substitui qualquer realização. A simulação é uma nova forma de ser.

Os atos digitais sugerem autossuficiência, prometem o dever cumprido, garantem que somos responsáveis sem maiores consequências. É a forma da pós-responsabilidade na época em que não se tem mais que responder por nada. Afirmo que comparecerei, que doarei, que participarei, mas a promessa contida na ação é o seu próprio fim.

Parado diante do computador, o agir se constrói digitalmente. A inação torna-se uma modalidade de vida plena de irrealização feliz.

O COTIDIANO VIRTUAL

Nossa experiência com a internet instaurou isso que podemos chamar de "cotidiano virtual", ele mesmo uma espécie de delírio consentido. Costumamos nos referir à internet como "espaço virtual" na intenção de demarcar um "lócus". Outros já falaram em "ser digital"[6] referindo-se ao novo modo de vida implicado na existência da internet. Uma vida que passa pelos computadores, pelas telas. Uma vida atravessada pela tecnologia da informação, pela tecnologia dos dados, pela ideia de conexão total, ela mesma fora de qualquer realidade. A ideia de "ágora virtual" implica o espaço de trocas democráticas. Reunindo esses aspectos e pensando nas experiências mais simples e corriqueiras que desenvolvemos com a internet é que podemos pensar em termos de "cotidiano virtual" que hoje nos afasta – aliena e alucina – da realidade analógica, mas, sobretudo, de nossas almas.

---

6 NEGROPONTE, Nicholas. *A vida digital*. Trad. Sérgio Tellaroli. São Paulo: Companhia das Letras, 1995.

O cotidiano virtual é o lugar da experiência do nexo com o mundo exterior a nós. Há duas formas básicas de experimentar esse mundo, por meio da transcendência e por meio da loucura.

Por trás da experiência digital que é nossa experiência com dedos e dados, a experiência com a tecnologia e com a imagem tecnológica oferece um pano de fundo que, aos poucos, pela mágica do virtual, perdemos de vista. O virtual é uma espécie de nova natureza. Assim como dizemos que a cultura é uma segunda natureza, podemos dizer que o virtual é a nossa terceira natureza. Ele não é visto nem experimentado como tecnológico, mas como parte de nossos corpos enquanto, ao mesmo tempo, os nossos corpos mudam seriamente seu "modo de ser" na direção de uma espécie de servidão ao desejo também próprio do virtual, aquele desejo de audiência, o desejo de fazer parte, o desejo de estar vendo o que todos veem, porque, assim, garante-se que, na lógica da vigilância, todos serão vistos. Eu terei a minha parte de visualidade no latifúndio da internet.

A invisibilidade para todos os cidadãos comuns dada na era da televisão, na era do cinema em que o capital "astro" de cinema era o fundamento da vida, transformou-se em fama barata nas redes sociais. Na poeira cósmica do Facebook, todos esperam sua garantia de ser percebidos. O fim da invisibilidade é a promessa que contrata todos os cidadãos em um novo acordo social. O tempo do pós-trabalho como escravidão mascarada de lazer. O velho contrato relativo à abdicação da liberdade que gerou o Estado Absolutista em que o binômio servidão/proteção está em jogo é agora substituído pela ideia de servidão/visibilidade.

Podemos entender que o aparecer seja essencial como direito político, mas é preciso nesse momento entender o ponto de sua deturpação. O aparecer tornou-se um efeito das tecnologias sobre os corpos. Um efeito decisivo. Não aparecemos apenas porque esse é nosso modo de habitar a cidade, a sociedade, de estar no mundo. Aparecer tornou-se urgente, como forma do capital.

INVEJA

O desejo de aparecer não pertence ao indivíduo, ele mesmo a parte iludida, o portador da ilusão do capital nos tempos anatomopolíticos em que o corpo está calculado sob a lógica da medida açougueira e funerária do sistema econômico político. O projeto ético-político democrático deveria poder devolver o corpo ao cidadão. Mas esse corpo foi capturado como imagem. E a imagem não pode ser devolvida.

O indivíduo que aparece é vítima de um afeto menos do que primitivo. Ele é um produto da inveja que está sempre aquém do desejo. Na verdade, não é que o indivíduo apareça, ele é, na verdade, exibido. Exposto como carne, pelo peso, pela altura, na condição de *res,* sua carne será olhada na vitrine do sistema da exposição total, da vigilância geral de um mundo panóptico. Existindo para os outros como uma coisa que se mostra, ou que antes é mostrada na lógica na qual foi capturado, o indivíduo humano não pertence mais a si mesmo, é fantasma solto no tempo em um sistema que em tudo o aliena de si.

As mulheres conhecem bem esse processo pelo qual são seduzidas e/ou violentadas conforme as regras da visibilidade organizada em torno de uma tecnologia delirante. Com as categorias opressivas da beleza, da maternidade, da sensualidade, as mulheres passam mais ou menos facilmente a defender a teoria do seu próprio algoz, defendem os termos dos quais são vítimas. Aquelas que conseguem situar-se nesse campo, fazer acordo com o inimigo como já tinha sinalizado Simone de Beauvoir, não necessariamente escapam de outras violências mais brutais.

O indivíduo é "performatizado" pelo mundo da visão, do aparecer na foto feita sob medida pelo telefone-espelho-narcísico que hoje em dia todos têm à mão, e pela "exponibilidade" das redes sociais, na qual ele se capitaliza social, psíquica e imageticamente. Os gadgets e os aplicativos garantem-se como iscas. A virtualização da vida, correlata à espetacularização da vida, aceita os corpos apenas enquanto imagens que, por sua vez, devem ser perfeitas. Há programas que permitem isso hoje em dia ao alcance de todos. É a democracia digital.

A internet é democrática, repetimos. Por outro lado, poucos se preocupam com os mecanismos de subjetivação e dessubjetivação que estão em jogo na experiência com as tecnologias e medialidades. A questão da ética implica o outro, mas também a si mesmo no contexto desses processos.

A inveja é constantemente tratada como um afeto primitivo, muito parecido com o ciúme. Sabemos, no entanto, que a inveja pertence a um regime visual. A ideia de um olho gordo implica o ato de devoração capaz de alimentar esse olho com as coisas ao seu redor. O olho gordo é a metáfora de um sistema que visa apenas a si mesmo. E que incide espiritualmente sobre o que ele é incapaz de tocar. Os gadgets que conhecemos alimentam e retroalimentam o narcisismo de nossas vidas como aparelhos da inveja generalizada, a inveja que não pode ser transformada em desejo pelo capitalismo. É o desejo que é justamente evitado pela oferta capitalista do consumo. Porque o desejo não consome, o desejo transforma.

A inveja é mais do que um afeto e é menos do que uma postura. Ela impede que a ética como reflexão da ação, como reflexão sobre a subjetividade que pensa, sente e age, se desenvolva. A inveja garante o moralismo e se desenvolve nele. Nem simplesmente afeto, nem simplesmente postura, a inveja é a posição na qual está em jogo a incapacidade do reconhecimento. Todas as deturpações, preconceitos, desvalorizações, humilhações do campo do aparecer relacionam-se ao seu movimento. Podemos dizer que há um princípio da inveja regendo nossas vidas na sociedade do espetáculo, essa sociedade que reduz seres humanos a imagens, separando-os de seus corpos por um processo de idealização. Vivemos a experiência da imagem de si e do outro, a imagem do mundo que é a paisagem, como se a imagem não fosse corpo. E, no entanto, a imagem é apenas o que, no corpo, nos permite acreditar nele.

Sob essas condições, instaura-se a lógica do espectro na estrutura do delírio. O desaparecimento do sujeito – aquele que antes praticava a autonomia – corresponde ao desaparecimento do cidadão rebaixado a seu perfil nas redes. Ele serve ao sistema que administra a inveja na qual tudo está aí para ser visto. Nossos corpos e até mesmo nossos rostos são mercadorias que já não nos pertencem.

Quem somos é uma pergunta vã no cenário em que nada de pessoal deve sobreviver nem ter razão de ser senão como mercadoria com valor de exposição.

A pós-verdade está nesse novo lugar de uma pós-ética.

É RACIONAL PARAR DE ARGUMENTAR

Vladimir Safatle

Faz parte de uma certa leitura hegemônica da vida social moderna a ideia de que a razão se realiza necessariamente através da consolidação de um horizonte de diálogo. Assim, uma sociedade cujas instituições e práticas são racionais seria necessariamente capaz de regular seus conflitos a partir da exigência aos sujeitos de explicitarem suas razões para agir e de avaliarem tais ações a partir da procura do melhor argumento. Ou seja, a razão nos permitiria orientar nossas ações a partir do consenso possível produzido pela procura do melhor argumento.

Uma posição como esta, no entanto, só pode produzir niilismo e violência. Pode parecer paradoxal afirmar que a organização dos conflitos a partir da expectativa de diálogo produza necessariamente niilismo e violência, afinal aprendemos que o diálogo é exatamente o inverso da violência, que ele é seu melhor antídoto. Mas talvez devamos assumir que há uma violência implícita no diálogo.

O filósofo francês Jacques Derrida lembrava, com propriedade, que não há nada mais violento do que dizer: "Posso ouvir suas considerações, posso levar em conta o que você tem a dizer, mas desde que você fale a minha língua". Esta "minha língua" não é exatamente a língua que falo agora, mas algo mais determinante, a saber, o conjunto de valores, a gramática que organiza minha sintaxe, a compreensão do que é um enunciado válido ou não. Para dialogar é necessário pressupor uma gramática comum. Mais do que isso. É necessário pressupor que todos os conflitos e todas as posições conflitantes farão sempre referência à mesma gramática comum.

No entanto, talvez o problema esteja exatamente nesse ponto. Pois e se boa parte de nossos conflitos visassem exatamente a mostrar que não há uma gramática comum no interior da vida social? Se eles nos mostrassem que, quando nos digladiamos a respeito do que significa "liberdade", "justiça", não temos uma gramática comum na qual nos apoiarmos, pois estamos ligados, pois somos legatários de experiências históricas muito distintas?

Perguntemo-nos, por exemplo, sobre como somos capazes de reconhecer o melhor argumento. A resposta padrão afirma que nos apoiamos em procedimentos já em operação nos processos comunicacionais da vida ordinária. Ou seja, o uso ordinário da linguagem, esse uso que funda o que costumamos chamar de "senso comum", parece ter a força de instaurar um modo de resolução de conflitos no interior do qual o melhor argumento pode ser identificado. Notemos, no entanto, o que está pressuposto nessa afirmação. Dizer que o uso ordinário da linguagem teria a força de instaurar modos gerais de resolução de conflitos e de identificação do melhor argumento implica aceitar que haveria uma similitude estrutural entre aquilo que poderíamos chamar de "usos simples" e "usos complexos" da linguagem.

Por "uso simples", devemos entender as operações que podem fazer apelo a um senso comum partilhado intersubjetivamente de maneira não problemática. De fato, há uma dimensão própria ao senso comum presente, por exemplo, quando podemos fazer apelo àquilo que filósofos da linguagem chamam de background, ou seja, "um conjunto de capacidades não representacionais que permite a ocorrência de toda representação".[1] Conjunto composto por práticas sociais e modos de conversação tacitamente aceitos e pressupostos em todo processo de interação. Tal background é que me permite, por exemplo, saber como agir em situações sociais relativamente simples, como ir ao mercado e negociar preço. É ele que me permite saber que o sentido não é estritamente dependente do conteúdo semântico de sentenças. Graças a tal background sei, inclusive, como identificar usos figurados e metafóricos da linguagem; sei o que devo compreender quando, por exemplo, abro o caderno de esportes do jornal e leio: "Galo frita Peixe no Brinco da Princesa".

No entanto, há os "usos complexos" da linguagem, ou seja, processos comunicacionais onde entro em discussão a respeito da natureza e do sentido de valores complexos, como valores morais e políticos. Podemos dizer que a existência de uma dinâmica não problemática de comunicação nos usos simples da linguagem não me garante que possa generalizar tal procedimento para usos complexos. O fato de saber como estabelecer uma dinâmica comunicacional para resolver problemas simples, como negociar o preço de um produto, pedir para alguém fechar a porta porque há uma corrente de ar ou sugerir que um amigo faça uma viagem a fim de se livrar de um excesso de preocupações, não significa que posso generalizar tal dinâmica

---

1 SEARLE, John. *Intencionalidade.* São Paulo: Martins Fontes, 2002, p. 198.

para definir o que devemos entender por liberdade ou se a revolução soviética foi ou não o evento decisivo da história contemporânea. Não há um senso comum para o qual podemos nos voltar a fim de construir um acordo a respeito, por exemplo, do que devemos entender por "liberdade". Desde sempre, valores como esse foram conflituais, foram pontos de sedimentação de dissenso e conflito. Se aceitarmos o que proponho, será difícil concordar com Habermas, para quem:

> Nem mesmo aquele que salta fora da argumentação de maneira consequente consegue saltar fora da prática comunicacional cotidiana; ele permanece preso aos pressupostos desta – estes, por sua vez, são pelo menos parcialmente idênticos aos pressupostos da argumentação em geral.[2]

Podemos abordar tal problema por outra via. Por exemplo, todos conhecem as aproximações entre a lógica do funcionamento da linguagem e a metáfora do jogo. Da mesma forma, conhecemos a distinção entre regras regulativas (que regulam formas de comportamento que existem anterior e independentemente de tais regras) e regras constitutivas (que criam ou definem novas formas de comportamento).[3] Aceitamos comumente que jogos seguem regras constitutivas, o que nos deixa relativamente seguros a respeito do que fazer e de como avaliar situações no seu interior. Esclarecer o que é ambíguo e conflitual depende de uma operação de *comparação* entre regras previamente determinadas e casos. Da mesma forma que

---

2 HABERMAS, Jürgen. *Consciência moral e agir comunicativo*. Rio de Janeiro: Tempo Brasileiro, 1989, p. 123.
3 Cf. a distinção proposta por SEARLE, John. *Speech acts*. Cambridge University Press, 1996, p. 33.

posso esclarecer o que é um xeque-mate simplesmente enunciando a regra: "Um xeque-mate ocorre quando o rei é atacado de forma tal que não pode mais se mover".

E se a linguagem for um jogo não exatamente idêntico a um jogo de xadrez (mesmo que com jogadores inconscientes, ou seja, sem estratégia, como gostava de dizer o linguista Ferdinand de Saussure[4])? Pensemos em um jogo onde apenas os lances mais elementares estão submetidos a regras. Lances elementares que fundam um domínio que podemos chamar de "senso comum". À medida que o jogo se desenrola, os lances, no entanto, ficam mais complexos. Alguns acreditam que tais lances devam seguir as mesmas regras dos lances simples e primeiros. Ou seja, a gramática do senso comum deve servir de princípio naturalizado de avaliação de normatividades que se queiram racionais.

Podemos dizer que, entretanto, isto não é absolutamente seguro. Pois não é seguro quais regras devam valer para quais lances. Wittgenstein tinha uma bela frase a esse respeito:

> Poder-se-ia dizer que o conceito de "jogo" é um conceito de contornos pouco nítidos (*verschwommenen Rändern*). Mas um conceito pouco nítido é ainda um conceito? É um retrato difuso (*unscharfe*) ainda a imagem de um homem? Pode-se sempre substituir com vantagem uma imagem difusa por uma imagem nítida? Não é muitas vezes a difusa aquela de que nós precisamos?[5]

---

4 SAUSSURE, Ferdinand. *Cours de linguistique générale*. Paris: Payot, 2005, p. 126-127.
5 WITTGENSTEIN, Ludwig. *Philosophische Untersuchungen*. Frankfurt: Suhrkamp. 2008. § 71

Na verdade, não só a imagem do que é um jogo é difusa. Também o é a imagem de como devemos jogar o jogo. A partir de um certo limite, tudo se passa como se o fundado não se construísse mais a partir da semelhança ao fundamento. No entanto, essa talvez seja a experiência fundamental da linguagem: a experiência de se jogar um jogo no interior do qual, a partir de certo momento, não temos mais clareza de suas regras.

Podemos nos perguntar se dar espaço a colocações dessa natureza não nos levaria necessariamente a uma zona de anomia; pois uma situação na qual não posso mais apelar a normatividades parece não ser outra coisa que o que devemos entender por anomia.[6] E, de uma certa forma, não era algo semelhante a essa anomia que Aristóteles sentia se, por exemplo, suspendêssemos o princípio de não contradição, ou seja, se colocássemos em questão esse que é um dos fundamentos da gramática naturalizada do senso comum? "Não saberemos mais distinguir um homem e um barco". "Ir a Megara ou ficar em casa será a mesma coisa", ou seja, as antinomias serão tantas que não saberemos mais jogar o jogo da linguagem, não saberemos mais nos orientar no pensamento e na ação.

A boa questão talvez seja: o que significa decidir nesse terreno onde as significações se tornam obscuras, onde os pressupostos não podem mais ser imediatamente legíveis a partir daquilo que aprendi a ler? Devemos suspender o jogo e não mais falar, limitando-nos apenas aos lances mais elementares e primeiros, afirmando que a partir de um certo limite não há

---

6 Basta definirmos anomia como "os efeitos de um enfraquecimento das normas e das convenções tácitas reguladoras de expectativas mútuas que conduz a uma degradação dos vínculos sociais". BOLTANSKI, Luc, CHIAPELLO, Eve. *Le nouvel esprit du capitalisme*. Paris: Gallimard, 1998, p. 504.

mais jogo possível? Ou devemos submeter o jogo ao puro arbítrio soberano, o que quer que isso possa afinal significar?

Tais questões são fundamentais porque nossas sociedades não são apenas momentaneamente antagônicas. Não estamos simplesmente divididos e voltaremos a nos unir assim que as paixões se arrefecerem. Nossas sociedades são estruturalmente antagônicas, e a divisão é sua verdade. Pois julgamos a partir da adesão a formas de vida, e o que nos distingue são formas diferentes de vida. Não queremos as mesmas coisas, não temos as mesmas histórias.

Neste ponto, há os que dirão que essa é a maior prova de que precisamos de sociedades baseadas no respeito à diferença. Sendo sociedades antagônicas, devemos neutralizar os combates e construir uma forma de convivência entre as diferenças. Mas o que fazer quando temos aqueles que defendem a tortura, que exaltam ditaduras militares ou que naturalizam a espoliação social das mulheres? Há de se respeitar essa "diferença"? Mas é realmente possível acreditar que podemos resolver tais diferenças através do diálogo?

Neste ponto, seria importante lembrar que nem todos os modos de circulação da linguagem se resumem ao diálogo e à comunicação. A palavra que circula na experiência estética do poema, na experiência analítica da clínica e mesmo nas conversões de toda ordem não argumenta nem comunica. Ela instaura, ela mobiliza novos afetos e desativa antigos, ela reconstrói identificações, em suma, ela persuade com uma persuasão que não se resume à explicitação de argumentos, e isso vale também para os verdadeiros embates políticos. O que nos falta não é diálogo, mas encontrar a palavra nessa sua força instauradora.

Aqui, gostaria de lembrar as reflexões de um filósofo brasileiro importante para esta discussão: Bento Prado Júnior. Apoiando-se em uma leitura da noção wittgensteiniana de "jogos de linguagem", Bento Prado insistia não ser a universalização de critérios e de sistemas de regras exatamente o objeto de um "entendimento comunicacional mais ou menos transparente".[7] Ao contrário, ela era objeto de *persuasão* e quem diz "persuasão" não diz apenas reconhecimento do melhor argumento nem está pensando em alguma forma de entificação de concepções "conversacionais" da filosofia, objeto de críticas de Bento Prado ao que animava tanto a filosofia de Habermas, de Apel quanto de Rorty. Como se houvesse uma arena neutra no teste da pretensão de verdade das interpretações metafísicas.

Ao contrário, quem diz "persuasão" diz necessariamente constituição de um campo conflitual no qual entram em cena processos de identificação, projeção, retórica de interesses, investimento libidinal, constituição de critérios de autoridade, etc. O campo da persuasão é antes o da guerra que o do entendimento comunicacional, insistirá várias vezes Bento Prado. Isso o leva a fazer, pensando na frase supracitada de Wittgenstein, colocações como: "A base de um jogo de linguagem não é constituída por proposições suscetíveis de verdade e de falsidade, mas corresponde apenas a algo como uma escolha sem qualquer fundamento racional".[8]

Mas vale a pena esclarecer um ponto. Quando Bento Prado afirma haver uma ausência de fundamento racional na base de um jogo de linguagem, ele quer dizer que tal base se organiza

---

[7] PRADO JR., Bento. *Erro, ilusão, loucura*. São Paulo: Editora 34, 2004, p. 48.
[8] Id., ibid., p. 105.

a partir de uma decisão "patológica", não no sentido de distorcida, mas de afetada por um *pathos*.

Mas, se esse for o caso, parece que não seremos mais capazes de evitar um risco maior. Pensemos simplesmente nessa temática, presente tanto em Michel Foucault quanto em Adorno e Horkheimer, que consiste em denunciar a imbricação constante entre expectativas de racionalidade e procedimentos de dominação, o que o vocabulário da guerra aplicado à persuasão parece implicar. Pois qual critério posso usar agora para diferenciar argumentação racional de simples submissão do outro ao meu sistema de crenças através da mobilização de afetos? A fim de encaminhar a questão, talvez seja o caso de levar a sério outra afirmação de central de Bento Prado:

> Persuadir alguém é levá-lo a admitir, justamente, o que não tem base, uma "mitologia", algo que está muito além, ou aquém, da alternativa entre o verdadeiro e o falso, o racional e o irracional ou, melhor dizendo, entre a *sensatez* e a *loucura*, entre o *Cosmos* e o *Caos*.[9]

Há uma maneira "nietzscheana" de compreender tal colocação. Se persuadir é levar alguém a admitir o que está aquém da alternativa entre o verdadeiro e o falso é porque, talvez, "verdade" e "falsidade" não sejam os critérios adequados para a avaliação do que tem a força de produzir nosso assentimento ao melhor argumento. Talvez existam determinações de valor que digam respeito não à descrição de estados de coisas, mas a modos de estruturação de formas de vida. O que nos persuade não é exatamente a verdade de uma proposição, mas a correção

9 PRADO JR., p. 48.

de uma forma de vida que ganha corpo quando ajo a partir de certos critérios e admito o valor de certos modos de conduta e julgamento. Nesse sentido, o critério do que me persuade está ligado a um julgamento valorativo a respeito de formas de vida que têm peso normativo. Argumentos que mobilizam móbiles psicológicos são, na verdade, maneiras de mobilizar afecções (como o medo, o desejo, o desamparo) que impulsionam nossa adesão a certas formas de vida.

Triste é a sociedade que vê nessa persuasão a explosão da irracionalidade, pois ela conhece apenas um conceito de razão baseado em dicotomias que remetem, ao fim, à distinção metafísica entre o corpo e a alma; um conceito pré-pascaliano de razão. Pois há de se lembrar de Pascal, para quem "o coração conhece razões que a razão desconhece". A frase foi muito usada e gasta, mas a ideia era precisa. Compreender circuitos de afetos não é calar a razão, mas ampliá-la.

SOBRE OS AUTORES

CHRISTIAN DUNKER é psicanalista, professor titular do Instituto de Psicologia da USP, coordenador do Laboratório de Teoria Social, Filosofia e Psicanálise da USP, analista membro da Escola do Fórum do Campo Lacaniano. É autor de *Estrutura e constituição da clínica psicanalítica*, *Mal-estar, sofrimento e sintoma* e *Reinvenção da intimidade*.

CRISTOVÃO TEZZA nasceu em Lages, Santa Catarina, mas vive em Curitiba há muitos anos. Ficcionista, é autor de *O fotógrafo, Beatriz, Breve espaço, Um erro emocional, A suavidade do vento, Trapo, O fantasma da infância, Juliano Pavollini, A tradutora* e *O professor*, entre outros. Seu romance *O filho eterno* (2007) recebeu os principais prêmios literários do Brasil, foi publicado em uma dezena de países, adaptado ao teatro e virou filme. Tezza foi professor da área de Letras da UFPR durante vinte anos, de onde se demitiu para dedicar-se à literatura.

JULIÁN FUKS nasceu em São Paulo, em 1981. Escritor e crítico literário, é autor de, entre outros, *Procura do romance* (2012) e *A resistência* (2015), com o qual conquistou o Prêmio Jabuti e o Prêmio José Saramago. Seus textos foram publicados em jornais e revistas no Brasil e no exterior. Foi eleito pela revista Granta como um dos vinte melhores jovens escritores brasileiros. É doutor em Teoria Literária pela USP, tendo se especializado na história do romance.

MARCIA TIBURI é graduada em Filosofia e Artes e mestre e doutora em Filosofia (UFRGS), tendo feito um pós-doutorado em artes. Publicou diversos livros de filosofia, entre eles *Filosofia em comum*, *Filosofia brincante*, *Olho de vidro*, *Filosofia pop*, *Sociedade fissurada*, *Filosofia prática, ética, vida cotidiana, vida virtual*. Publicou também romances: *Magnólia*, *A mulher de costas*, *O manto* e *Era meu esse rosto*. Recentemente, lançou *Como conversar com um fascista* e *Ridículo político*. Foi finalista do Jabuti, Portugal Telecom e Prêmio APCA. Desde 2008, coordena um Laboratório de Escrita Criativa. É também professora da UFRJ e colunista da revista Cult.

VLADIMIR SAFATLE nasceu em Santiago do Chile, em 1973. É mestre em Filosofia pela USP e doutor em Filosofia pela Universidade de Paris VII. Professor livre-docente do Departamento de Filosofia da FFLCH-USP, foi professor convidado de diversas universidades no exterior. Com artigos traduzidos em inglês, francês, japonês, espanhol, sueco, catalão e alemão, suas publicações versam sobre psicanálise, teoria do reconhecimento, filosofia da música, filosofia francesa contemporânea e tradição dialética pós-hegeliana. Publicou *A paixão do negativo: Lacan e a dialética* (2006), *Cinismo e falência da crítica* (2008), *A esquerda que não teme dizer seu nome* (2012), *Grande Hotel Abismo – para uma reconstrução da teoria do reconhecimento* (2012) e *O dever e seus impasses* (2013).

Descubra a sua próxima
leitura em nossa loja online

dublinense .COM.BR

Composto em GEORGIA e impresso na PALLOTTI,
em IVORY COLD 90g/m², em JUNHO de 2022.